Introduction à la philosophie

TOME I

Normand Baillargeon

Introduction à la philosophie

TOME I

Les Éditions Poètes de brousse bénéficient
du soutien financier du Conseil des Arts du Canada.

Conseil des Arts   Canada Council
du Canada   for the Arts

LES ÉDITIONS POÈTES DE BROUSSE
3605, rue de Bullion
Montréal (Québec)
H2X 3A2
Téléphone : 514 289-9452
www.poetesdebrousse.org

DISTRIBUTION
Diffusion Dimedia inc.
539, boulevard Lebeau
Montréal (Québec)
H4N 1S2
Téléphone : 514 336-3941

DISTRIBUTION EN EUROPE
Diffusion Paris-Montréal
102, rue des Berchères
Pontault Combault
77340 France
Téléphone : 01.60.02.97.23

Maquette de la couverture et mise en pages
Turcotte design

Œuvre de la couverture
Stéphanie Béliveau, *Dialogue* (détail), 2007, 28 x 21,5 cm

Dépôt légal 1er trimestre 2017
Bibliothèque et Archives nationales du Québec
Bibliothèque et Archives Canada

ISBN 978-2-924671-03-0

INTRODUCTION

POUR COMMENCER, bornons-nous à quelques remarques très générales. Même en s'en tenant à la seule philosophie occidentale – celle qui nous intéresse dans ce livre –, la philosophie a derrière elle, depuis sa naissance dans l'Antiquité grecque, une très longue et très riche histoire. Il n'est pas facile de définir la philosophie et vous n'aurez vraiment une bonne idée de ce qu'elle est qu'après avoir lu ce livre.

Premièrement, on peut dire que ce qui la caractérise, durant toutes ces années, est un effort constant et obstiné pour penser rationnellement un grand nombre de questions et de problèmes qui, typiquement, présentent des dimensions conceptuelles et normatives. Les questions abordées par la philosophie sont conceptuelles en cela que, devant ces problèmes qui peuvent surgir dans la vie de tous les jours, nous nous trouvons soudain devant la difficulté de préciser ce que signifie exactement telle ou telle idée, dont nous découvrons, avec étonnement, qu'elle est loin d'être claire. Également, ces questions sont très souvent normatives en ce sens que les réponses concernent ce qui doit être, une norme, une valeur, et pas simplement ce qui est. Ces deux aspects de la philosophie vous apparaîtront plus clairement au fil de votre lecture.

Durant cette longue histoire, il est arrivé que des progrès si considérables aient été accomplis que des pans entiers de réflexion philosophique sont devenus autonomes. C'est ainsi que la philosophie a contribué massivement à la constitution de diverses sciences, comme la physique, la biologie, la psychologie, la science politique et d'autres encore, qui peuvent, pour cette raison, être en partie considérées comme ses rejetons. Pourtant, la philosophie existe toujours comme discipline distincte. Il y a à cela plusieurs raisons, notamment que certains des problèmes qu'elle aborde ne sont traités par aucune des sciences existantes (et il n'est pas certain qu'ils le soient un jour) et que, dans chacune de ces sciences, se posent des questions de nature philosophique.

Cette longue histoire ainsi que le caractère particulier des questions qu'elle étudie font que la philosophie est aujourd'hui encore une discipline très vaste par ses objets d'étude et très variée par les moyens et les méthodes qu'elle met en œuvre. C'est ainsi que, dans un même département universitaire de philosophie, vous trouverez des philosophes qui étudient des problèmes très pointus de fondements des mathématiques et qui travaillent avec des outils tels que la logique formelle, tandis que d'autres se penchent sur des problèmes éthiques, certains d'entre eux revendiquant une filiation avec tel ou tel philosophe du passé, dont l'œuvre reste en ce sens extrêmement actuelle. Vous y trouverez aussi des spécialistes de l'histoire de la philosophie, ou de tel ou tel penseur particulier. Sans oublier des philosophes qui méditent des questions conceptuelles et normatives qui concernent le politique, l'art, la science et bien d'autres objets encore. Le champ d'études des philosophes, on le voit, ne connaît pas de limites.

La passion que suscite l'étude de la philosophie chez tant de gens tient donc, pour une part, à la grande diversité des champs d'intérêt qu'elle permet d'explorer. Elle tient aussi au fait qu'étudier la philosophie procure une vaste et riche culture générale, induit des habitudes de penser rigoureuses et permet de se frotter à des questions immenses, sans doute, mais incontournables, et auxquelles l'humanité n'a eu de cesse de revenir parce qu'elles sont primordiales.

Ce livre et le suivant entendent faire un tour d'horizon de ce vaste domaine. Notez que les chapitres 5 et 6 demandent un effort particulier : ils exigent de se départir de manières de penser fortement ancrées en nous. Le chapitre sur Kant est – mais c'était prévisible – le plus difficile : il nécessitera sans doute plus d'une lecture attentive, mais les efforts en valent la peine.

Même si les différents chapitres peuvent être lus indépendamment les uns des autres, ils gagnent à être parcourus dans l'ordre où ils sont donnés.

CHAPITRE I

L'ÉPISTÉMOLOGIE ET LE RATIONALISME

L'ÉPISTÉMOLOGIE, OU THÉORIE de la connaissance, est une branche ancienne et centrale de la philosophie. Pratiquée depuis Platon, elle se propose d'examiner si la connaissance est possible ou non et d'en fixer les éventuelles limites. Cela présente d'évidentes répercussions sur ce que peut accomplir la philosophie. Dans ce chapitre et les deux suivants, nous allons étudier les réponses données à ces questions dans le cadre de quatre traditions : le rationalisme, l'empirisme, le constructivisme et le pragmatisme.

LES ANALYSES DE PLATON

C'EST PLATON QUI CONFÈRE à l'épistémologie la place centrale qui n'a cessé d'être la sienne dans la philosophie occidentale. Le philosophe grec articule également quelques-unes des catégories et des positions épistémologiques les plus marquantes.

Platon se trouve en effet confronté aux Sophistes de son époque, qui défendent un relativisme épistémologique ainsi qu'un relativisme éthique. Selon eux, nous ne pouvons connaître le monde tel qu'il est réellement, mais seulement tel qu'il nous apparaît. La connaissance est en ce sens toujours relative : relative aux individus et à leurs sens, relative aux sociétés, qui admettent ici tel comportement condamné ailleurs, voire relative à l'espèce humaine elle-même. Individu, société, espèce formeraient ainsi des médiations entre nous et le monde, entre nous et les valeurs et nous enferreraient dans une sorte de subjectivisme qui rend toute prétention à la connaissance objective illusoire. Un des sophistes, Protagoras, va résumer ce point de vue en une formule restée célèbre et qui est un habile condensé de la position relativiste : « L'homme est la mesure de toute chose. »

La riposte platonicienne fonde le projet philosophique occidental et elle est magnifiquement résumée dans l'Allégorie de la caverne. Sur le plan épistémologique, elle affirme que la connaissance est possible parce qu'elle porte sur des Idées, dont les objets de l'expérience sensible ne sont que de pâles reflets, des Idées que notre âme a contemplées dans une vie antérieure et dont elle peut donc se ressouvenir.

Le mot épistémologie signifie étude ou théorie (logos) de la connaissance (épistémè), soit la théorie de la connaissance. Dans le monde francophone, le mot est souvent employé pour désigner la réflexion philosophique sur la science, qui est, bien entendu, une forme de connaissance. Dans ce livre, nous distinguerons l'épistémologie de la philosophie des sciences.

PLATON (427-347 AV. J.-C.)

CITOYEN D'ATHÈNES, Platon est issu d'une famille noble et se destine à une carrière politique. Cependant, sa rencontre avec Socrate, puis la mort de ce dernier, vont le convaincre de se consacrer à la philosophie. Il développera un système philosophique original exposé dans des dialogues mettant presque toujours en scène Socrate. Ses écrits, d'une grande qualité littéraire et d'une beauté rarement atteinte dans des textes de philosophie, exposent aussi l'une des pensées les plus marquantes de toute la tradition occidentale : l'idéalisme platonicien.

Platon, devenu philosophe, conservera l'ambition d'exercer une influence politique, aussi bien à Athènes qu'à l'étranger. Ses espoirs ayant été déçus, il fonde, en 387 av. J.-C., sur le site des jardins d'Academos, un établissement de haut savoir (l'Académie) qui existera pendant près d'un millénaire, soit jusqu'à sa fermeture par l'empereur Justinien en 529 apr. J.-C.

À l'entrée de l'Académie de Platon était gravée l'inscription : « Que nul n'entre ici s'il n'est géomètre. » Pour rendre compréhensible cet interdit, il nous faut expliquer ce qu'est l'idéalisme platonicien.

Essentiellement, il s'agit de la position philosophique qui assure que la connaissance est possible parce qu'elle porte non sur les objets fuyants, instables et changeants donnés à nos sens dans l'expérience, mais bien sur ce que Platon appelle des Idées ou des Formes, intelligibles, immuables et éternelles — c'est pourquoi on écrit « Idées » avec une majuscule. Au-delà du monde sensible, qui est celui de l'opinion (la *doxa*), il y a donc, selon Platon, un autre monde, le monde intelligible, qui est celui qui contient les objets sur lesquels porte le savoir authentique (l'épistémè). Ce savoir porte sur ces Idées et les réalités sensibles n'ont elles-mêmes d'existence que par leur participation au monde des Idées.

Les mathématiques fournissent un modèle de ce que Platon avance et occupent à ce titre une place centrale dans sa pensée. La géométrie, par exemple, ne porte pas sur tel ou tel cercle toujours imparfait du monde sensible, mais sur l'essence du cercle, c'est-à-dire sur une Idée, éternelle et immuable : le cercle idéal. On notera ici que ce qu'on nomme le platonisme mathématique, à savoir cette conception des mathématiques que nous venons d'esquisser et voulant que le mathématicien découvre plutôt qu'il n'invente, est une position qui demeure répandue. Pour aller au plus court, on pourra dire que Platon généralise ce point de vue : pour lui, les objets du monde sensible ne sont que l'ombre des Idées et n'existent que par leur participation (ou leur ressemblance) à celles-ci : la connaissance authentique ne portera que sur elles. Enfin, si ces Idées elles-mêmes sont nombreuses, l'une d'elles, que Platon appelle l'Un-Bien, est première et donne, aussi bien aux autres Idées qu'aux objets du monde sensible, leur existence et leur « connaissabilité ».

Platon défend de la sorte un Idéalisme (on connaît des Idées, lesquelles sont réelles) et un Innéisme (nous avons déjà en naissant des Idées indispensables pour connaître le monde) qui ne cesseront d'être influents dans la longue histoire de la pensée. Comme on l'a vu, parmi ces Idées contemplées, l'ultime est celle de Bien, principe et condition de toutes les autres : en liant de la sorte épistémologie, ontologie et éthique, Platon répond au relativisme éthique des Sophistes et ouvre, cette fois encore, une perspective théorique qui ne cessera d'être explorée par la pensée occidentale.

Dans un dialogue appelé *Théétète*, Platon formule la définition de la connaissance autour de laquelle tourneront bien des discussions en épistémologie.

Dans ce dialogue, Socrate s'adresse au personnage éponyme pour lui demander ce qu'est la connaissance. Théétète commence par répondre que ce sont toutes ces disciplines que lui enseigne son professeur : l'astronomie, l'histoire naturelle, les mathématiques, etc. Socrate lui fait alors comprendre que si ce sont bien là des exemples de connaissances, ce n'est pas ce qu'il lui a demandé : ce que Socrate veut, c'est savoir ce qu'est la connaissance. Théétète ne peut se contenter d'une simple énumération de connaissances. Celui-ci en convient. S'ensuit alors un long échange au terme duquel Théétète et Socrate convergent vers une définition qui sera ensuite reprise dans la tradition philosophique occidentale. Selon cette analyse, il y a connaissance là où trois conditions sont satisfaites.

Rappelons-les et, pour cela, posons un sujet (S) et une proposition (P). S sait que P est vraie si :

- S est de l'opinion (s'il croit, s'il est d'avis) que P est vraie et ne se contente pas de l'espérer ou de le redouter, etc. ;
- P est effectivement vraie ;
- la croyance de S que P est vraie par S est justifiée par de bonnes raisons.

L'ALLÉGORIE DE LA CAVERNE ?

L'ALLÉGORIE DE LA CAVERNE, est un des plus célèbres textes de la philosophie et même de la littérature universelle.

Imaginons des êtres humains enfermés depuis toujours au fond d'une sombre caverne. Ces étranges prisonniers sont assis et enchaînés de telle manière qu'ils ne peuvent que regarder devant eux, vers la paroi de la caverne. Des ombres y apparaissent et on tient en haute estime ceux qui sont les plus habiles à les décrire ou à prédire le retour de l'une ou l'autre d'entre elles.

Nous sommes ces prisonniers, enfermés dans le cachot de l'ignorance, des préjugés et de l'opinion commune et non réfléchie. Quant à ces images que nous tenons pour réelles, ces ombres, elles ne sont que des apparences. Accéder au réel, à la vraie connaissance, demandera de s'arracher à ces illusions et exigera de douloureux efforts.

L'allégorie continue : imaginons un prisonnier qu'on libère et qu'on force à s'approcher de la sortie de la caverne. Il entreprend de là sorte un long parcours, qui est celui de l'éducation et de la philosophie, et s'arrache peu à peu aux trompeuses apparences. Il découvre pour commencer un muret derrière lequel des gens se promènent en portant divers objets. Derrière eux, un feu brûle et projette les ombres de ces objets sur les parois de la caverne. Ce sont ces ombres que lui et ses malheureux compagnons prenaient pour le réel. Mais le parcours de l'évadé n'est pas terminé. Il poursuit sa route et sort de la caverne. Le soleil l'éblouit et son regard doit s'habituer peu à peu au réel. Pour commencer, il ne peut regarder que les ombres ou les reflets dans l'eau des objets : arbres, animaux... Peu à peu, il en vient à les contempler eux-mêmes. Enfin, il peut regarder le soleil lui-même, source lumineuse qui éclaire tout le reste. Il est devenu philosophe : il connaît le réel derrière les apparences et cette transformation l'a rendu meilleur et apte à dire ce qui est le mieux, pour lui comme pour la société tout entière.

Il lui faut à présent revenir instruire ses compagnons. Lourde tâche, puisque ceux-ci se moqueront de lui dont le regard n'est plus adapté à la pénombre de la caverne.

Disons que P est : la Terre est ronde.

Platon soutient que je ne peux le savoir si, pour commencer, je ne tiens pas cette proposition comme étant vraie, si je ne pense pas qu'elle est vraie ; il faut ensuite qu'elle soit vraie : je ne peux pas, à strictement parler, savoir que la Terre est ronde, je ne peux que le croire ; finalement, pense Platon, je ne pourrai pas savoir que la Terre est ronde, même si je le pense et que cela est vrai, si je ne le pense pas pour de bonnes raisons. Pour le comprendre, imaginez une personne qui pense que tel cheval va remporter la course et que, de fait, ce cheval l'emporte. Sa proposition est tenue pour vraie par cette personne, ce qui satisfait la première condition exigée par Platon ; cette proposition est en outre vraie, puisque le cheval a effectivement gagné la course, et cela satisfait la deuxième condition ; mais supposons aussi que la personne pensait que ce cheval gagnerait la course parce que son nom est joli : c'est une bien mauvaise raison et Platon pense que cette personne ne savait pas que le cheval allait gagner. Pour cette même raison, on ne peut pas dire que l'on sait une chose si on la répète sans la comprendre, si on l'affirme par hasard, et ainsi de suite : il faut, pour savoir, justifier sa croyance vraie par de bonnes raisons.

C'est notamment autour de la question de savoir ce qui constitue une bonne justification que l'on peut distinguer les diverses traditions en épistémologie que nous examinerons.

DU « PROBLÈME DE PLATON »
AU « PROBLÈME D'ORWELL »

Si l'on admet que nous pouvons connaître et que nous connaissons effectivement tant de choses, comment expliquer alors que notre expérience du monde est si brève et si imparfaite ? C'est ce problème qui est au cœur de l'épistémologie de Platon. On notera qu'il est particulièrement perceptible dans le cas des mathématiques : j'ai bien une idée de cercle sur laquelle je peux raisonner en aboutissant à des certitudes, alors que tous les cercles concrets que j'observe sont imparfaits. Comment cela est-il possible ? La réponse de Platon, on l'a vu, est de dire que l'Idée de cercle existe et qu'elle est d'emblée en moi, quoique assoupie, de sorte qu'il faut la « réveiller », ce qui est le rôle de l'éducation.

Il est intéressant de rapprocher ce problème de Platon avec ce que le linguiste Noam Chomsky nomme « le problème d'Orwell », du nom du célèbre auteur du roman *1984*, Platon pose la question suivante : « Comment, à partir de données si peu nombreuses et imparfaites, pouvons-nous savoir tant de choses ? » Le problème d'Orwell, qui se situe sur le terrain politique, pose celle-ci : « Comment se fait-il, alors que les données sont si nombreuses et si éloquentes, que nous, citoyens, en sachions pourtant si peu sur la véritable nature de nos sociétés ? » Chomsky trouve l'explication dans le rôle de la propagande.

L'œuvre de Platon, on le devine, constituerait un point de départ tout à fait approprié pour l'étude de l'épistémologie que nous entreprenons ici. Mais il sera plus aisé de parvenir aux débats et aux problèmes tels qu'ils se sont posés et se posent toujours en épistémologie en amorçant notre étude par l'œuvre de René Descartes (1596-1650). (Un autre avantage à cette manière de faire est que nous aurons à revenir sur l'œuvre de Descartes quand nous étudierons la philosophie de l'esprit, un autre domaine dans lequel Descartes a exercé une influence décisive.)

LE RATIONALISME DE DESCARTES

Il faut, au moins une fois dans sa vie, avoir traversé ce parcours épistémologique du combattant que René Descartes a lui-même franchi et qu'il raconte dans le *Discours de la Méthode*, puis dans ses *Méditations métaphysiques*[1]. Au point de départ de la démarche se trouve la reconnaissance par Descartes du fait que nombre de choses qu'on lui a enseignées ou qu'il a admises ne sont pas crédibles et se sont avérées, sinon fausses, du moins douteuses. Descartes formule donc un projet critique : l'élagage de ces savoirs douteux et incertains avec pour ambition de parvenir à établir un fondement indubitable sur lequel rebâtir ses connaissances.

Pour y parvenir, le philosophe va déployer une méthode appelée le « doute méthodique » qui consiste à douter de tout ce en quoi on puisse trouver la moindre raison de douter, en espérant parvenir ainsi, sinon à une certitude indubitable, du moins à savoir que cette recherche est vouée à l'échec.

Le doute cartésien est singulier et radicalement différent du scepticisme usuel, qui nous invite à ne pas être crédule et à nous méfier de ce qu'on veut nous donner pour vrai. Le doute que pratique Descartes, quant à lui, est une sorte d'ascèse, une épreuve par laquelle doit passer quiconque espère parvenir à un savoir inébranlable. Le doute cartésien est méthodique, obstiné et rejette tout ce qui se donne pour du savoir, mais qui provient d'une source en laquelle nous ne pouvons concevoir la moindre raison de douter.

La première de ces sources est, bien entendu, les sens. Ce sont eux qui me disent que je suis ici, assis devant cet ordinateur, en train de taper sur des touches, dans cette pièce que je vois, dont je sens l'odeur et où j'entends des bruits. Peut-on douter de tout cela ? Descartes pense que oui.

Il observe d'abord avoir « quelquefois éprouvé que [ces] sens étaient trompeurs », et rappelle qu'il est « de la prudence de ne se fier jamais entièrement à ceux qui nous ont une fois trompés[2] ». On sera sans doute tenté ici de dire que, dans certains cas au moins, nous n'avons pas de raisons de douter de nos sens ; Descartes l'accorde. Mais il ajoute un autre argument contre les sens en tant que source fiable de connaissance, en faisant remarquer qu'il n'a aucun moyen de distinguer les impressions qu'il est présumé recevoir de ses sens lorsqu'il est éveillé de celles qu'il reçoit en rêvant.

Descartes conclut de ces deux arguments (la faillibilité des sens et l'impossibilité philosophique de décider à un moment précis si l'on rêve ou non) que l'on ne peut prendre comme fondement indubitable de la connaissance les données des sens et la vision commune du monde qu'ils suggèrent. Il s'ensuit une conséquence d'une importance considérable, mais qu'il faut néanmoins tirer conformément au projet poursuivi : rejeter les sciences, puisqu'elles font appel à nos sens : « C'est pourquoi peut-être que de là nous ne conclurons pas mal si nous disons que la physique, l'astronomie, la médecine, et toutes les autres sciences qui dépendent de la considération des choses composées, sont fort douteuses et incertaines[3]. »

Quelle autre source possible de connaissance reste-t-il, une fois les sens écartés ? Descartes est un mathématicien et, comme tout rationaliste, c'est vers les mathématiques qu'il se tourne ensuite tout naturellement. C'est que les mathématiques ne reposent pas sur des informations obtenues par les sens : le savoir qu'elles nous donnent est dit pour cela *a priori*, indépendant de l'expérience, et non *a posteriori*. Mieux : même l'argument du rêve ne semble pouvoir les atteindre. Descartes écrit : « [...] L'arithmétique, la géométrie et les autres sciences de cette nature qui ne traitent que de choses fort simples et fort générales, sans se mettre beaucoup en peine si elles sont dans la nature ou si elles n'y sont pas, contiennent quelque chose de certain et d'indubitable ; car soit que je veille ou que je dorme, deux et trois joints ensemble formeront toujours le nombre de cinq, et le carré n'aura jamais plus de quatre côtés ; et il ne semble pas possible que des vérités si claires et si apparentes puissent être soupçonnées d'aucune fausseté ou d'incertitude [4]. »

Peut-on, selon les rudes exigences du doute méthodique, trouver une raison de douter des mathématiques et des connaissances *a priori* qu'elles nous procurent ?

Descartes en imagine une en postulant qu'il est possible qu'un malin génie nous berne constamment quand nous raisonnons en mathématiques. Il écrit : « Je supposerai donc qu'il y a [...] un certain mauvais génie [...] rusé et trompeur [...] qui a employé toute son industrie à me tromper. Je penserai que le ciel, l'air, la terre, les couleurs, les figures, les sons et toutes les choses extérieures que nous voyons, ne sont que des illusions et tromperies, dont il se sert pour surprendre ma crédulité. Je me considérerai moi-même comme n'ayant point de mains, point d'yeux, point de chair, point de sang, comme n'ayant aucun sens, mais croyant faussement avoir toutes ces choses. » Au bout de cette démarche, poursuit Descartes, je ne serai peut-être parvenu à aucune vérité, mais il restera au moins « en ma puissance de suspendre mon jugement [5] ».

Il semble que, tel un ouragan, le doute cartésien ait tout détruit sur son passage et que rien ne reste qui pourrait prétendre lui échapper. C'est pourtant à ce point précis que Descartes prétend trouver une sortie de l'impasse où il s'est enfermé en découvrant une certitude qu'absolument rien ne peut ébranler.

Cette certitude, c'est celle de sa propre existence comme quelque chose qui possède une certaine activité mentale, ce dont il ne peut douter puisqu'en douter, c'est encore faire montre de cette activité mentale. En d'autres termes, le Malin Génie peut bien exister, il peut bien me faire croire que je suis en train d'écrire ces mots sur un clavier alors que je suis plutôt enfermé dans une gaine, mon cerveau relié à de puissants ordinateurs et que je suis élevé afin de servir de nourriture à des êtres étranges. Mais le simple fait que j'aie ces idées prouve hors de tout doute possible que j'existe en tant qu'être qui a cette faculté d'avoir des idées, de douter et de penser. Et voici le sceptique battu à son propre jeu, par une application systématique de ses propres méthodes et principes.

ET SI VOUS ÉTIEZ UN CERVEAU DANS UNE CUVE ?

Imaginée par Hilary Putnam (1926-2016), cette expérience de pensée est une version contemporaine du Malin Génie cartésien. Voici comment il la présente : « Imaginez qu'un être humain (vous pouvez supposer qu'il s'agit de vous) a subi une opération réalisée par un savant maléfique. Le cerveau de cette personne a été retiré de son corps et placé dans une cuve contenant des éléments nutritifs qui le maintiennent en vie. Les terminaisons neuronales ont été reliées à un ordinateur superpuissant qui fait croire à la personne dont c'est le cerveau que tout est parfaitement normal. Il lui semble qu'elle croise des gens, qu'il y a des objets, un ciel et ainsi de suite ; mais en réalité tout ce dont cette personne a l'expérience est le résultat d'impulsions électroniques qui vont de l'ordinateur aux terminaisons nerveuses. L'ordinateur est si adroit que si la personne essaie de soulever sa main, le feedback qu'il envoie fera en sorte que la personne "verra" et "sentira" que sa main est levée. De plus, en modifiant le programme, le savant maléfique peut faire en sorte que sa victime aura l'expérience (ou l'hallucination) de n'importe quelle situation ou de n'importe quel environnement.

« Il peut encore effacer la mémoire du cerveau de sorte que la personne croira avoir toujours été dans tel environnement. Il pourra même faire en sorte que la victime croie être assise et être en train de lire ces mots qui évoquent cette amusante, mais profondément absurde suggestion qu'il existe un savant maléfique qui retire les cerveaux des corps et les place dans une cuve contenant des éléments nutritifs où ils sont maintenus en vie [...][6]. » Cette expérience de pensée est l'une des sources d'inspiration du film *The Matrix*.

Notez cependant qu'à ce stade de son argumentaire, Descartes sait seulement qu'il existe comme « chose qui pense » : il ne peut toujours pas prétendre savoir qu'il a un corps, que le monde extérieur existe ou qu'il n'est pas systématiquement induit en erreur quand il fait des mathématiques.

Pourtant, en partant de ce minuscule point d'Archimède qu'est le *Cogito*, il pense être en mesure de reconquérir tout ce qu'il a révoqué en doute. Le moment crucial de cette reconstruction est la reprise par Descartes de l'argument ontologique, sur lequel nous reviendrons plus loin dans cet ouvrage, qui lui permet, pense-t-il, d'établir l'existence de Dieu. Examinant les idées qu'il a en lui, Descartes, la chose qui pense, découvre en effet celle d'un Être parfait. Or, si un tel Être n'existait pas, il ne serait pas parfait, car l'existence est l'un des attributs de la perfection : il existe donc nécessairement et, étant parfait, il ne peut vouloir me tromper. Son existence, on l'aura pressenti, autorise l'élimination du Malin Génie et permet donc de restaurer les mathématiques.

Descartes revient ensuite sur ces données des sens, que l'on tient souvent pour la source de notre connaissance du monde extérieur, et en examine la nature et la portée. Dieu, parfait et non trompeur, ne peut l'induire en erreur à propos de ces choses qu'il perçoit aussi clairement et distinctement que la certitude du *Cogito* : voilà donc le critère de la vérité, auquel Descartes va mesurer ce qui requiert son assentiment. Le fait qu'il soit lié à un corps est l'une d'elles. Mais que dire alors du monde extérieur qui existe, qui est perçu par les sens et que garantit le Dieu non trompeur ? Car nous savons bien que nous nous trompons, au moins parfois, à son sujet, par exemple quand nous sommes victimes d'illusions d'optique, quand nous évaluons mal les distances, que nous nous trompons à propos de telle ou telle observation, et ainsi de suite.

COGITO ERGO SUM, VOUS DITES ?

LA PHRASE « JE PENSE, DONC JE SUIS », qui est la traduction française de *Cogito ergo sum*, est devenue l'une des plus célèbres de toute la philosophie. Elle apparaît pour la première fois dans le *Discours de la Méthode* et, aujourd'hui, elle fait partie de la culture populaire. Pour vous rendre intéressant, vous pouvez souligner à celui qui pense épater la galerie en citant un auteur qu'il n'a pas lu que, dans ses *Méditations*, Descartes écrit plutôt : « Je suis, j'existe est nécessairement vraie, toutes les fois que je la prononce ou que je la conçois en mon esprit. »

Des objets extérieurs existent, garantis par Dieu, et nos sens nous y font accéder. Cependant, ils nous induisent parfois en erreur. Comment expliquer cette connaissance imparfaite et comment pourrait-on connaître véritablement ces objets du monde extérieur ?

Ce qui suit est célèbre. Descartes prend un morceau de cire et note ce que chacun de ses sens lui en dit : la cire est dure, froide, a telle odeur, tel goût, et ainsi de suite. Puis, il la présente à la flamme. Toutes ces caractéristiques disparaissent une à une : et cependant nous pensons néanmoins qu'il s'agit du même morceau de cire. Pourquoi ? Descartes invite ici à rejeter ici la position empiriste, qui prétend que toute connaissance provient des données des sens, et il suggère que les concepts d'identité et de substance (matérielle) que nous appliquons ici sont innés – et cette position rappelle bien entendu celle de Platon.

L'existence de Dieu garantit que quelque chose dans le monde extérieur existe, que nous ne sommes pas systématiquement trompés par nos sens et que nous pouvons connaître ce monde extérieur. Cependant, les erreurs de nos sens et l'analyse du morceau de cire nous montrent que le monde tel qu'il est réellement (celui que nous dévoilerons la science et la philosophie en déployant les idées innées, et des idées claires et distinctes) ne sera pas celui que nous dévoilent nos sens imparfaits et trompeurs. Nos sens décrivent un monde d'objets colorés, de sons et d'odeurs ; la science, et notamment la physique mathématique que Descartes a en tête, montrera que le monde se comprend par l'entremise de catégories comme l'étendue, le nombre, la forme et le lieu.

Descartes distinguera donc trois types d'idées :

- DES IDÉES ADVENTICES, c'est-à-dire celles qui proviennent de l'expérience, comme celles de chat, de maison, etc. ;
- DES IDÉES FACTICES, que l'imagination élabore à partir des idées adventices, par exemple l'idée de sirène, construite à partir de celles de femme et de poisson ;
- DES IDÉES INNÉES, comme celles d'infini, de cercle, de perfection, de substance, qui sont posées en nous par Dieu, que nous appliquons lorsque nous connaissons et sans lesquelles la connaissance serait impossible.

Il est temps à présent de prendre un certain recul et de nous demander ce que la position rationaliste, que Descartes incarne de manière exemplaire sans toutefois en être l'unique représentant, implique pour le problème de la connaissance. Ce qui caractérise les rationalistes, c'est pour commencer la conviction que la connaissance humaine est fondée de manière certaine sur des vérités connues *a priori* et souvent tenues pour innées.

NOAM CHOMSKY (1928)

PAR SA CONCEPTION d'une grammaire universelle innée présente en chacun de nous, Chomsky est le fondateur de la linguistique moderne et l'un des principaux instigateurs de la révolution cognitive de la fin du XXᵉ siècle. Il soutient que cette révolution cognitive est en fait la deuxième : la première est celle provoquée par Descartes, dont il se réclame aussi dans sa linguistique, qu'il a d'ailleurs déjà nommée cartésienne.

Les rationalistes ne nient bien entendu pas qu'il faut, à un certain moment, avoir recours à l'observation pour connaître le monde extérieur – ce que fait justement Descartes quand il étudie l'optique, par exemple, science à laquelle il apporte de notables contributions. Mais ces observations et les éventuelles connaissances qu'on en tirera sont fondées sur ces idées innées et dépendent d'elles. Ainsi, c'est la raison avant tout qui fonde et rend possible la connaissance, et non l'expérience.

Confiants en la capacité de connaître de la raison humaine, les rationalistes tendent encore à avoir un profond respect pour les mathématiques, qui nous dévoilent le monde tel qu'il est, pour la rigueur déductive et la systématicité.

Enfin, les rationalistes abandonnent le réalisme naïf, celui du sens commun qui voudrait que le monde soit tel que nos sens nous le dévoilent, avec sa pelouse verte et son eau bleue. Ce que nos sens nous font découvrir, pensent-ils, ce sont des qualités qu'ils ajoutent aux objets du monde – cette coloration, cette saveur : ce sont là des qualités secondes, dira-t-on. Seules les sciences, tout particulièrement par l'entremise des mathématiques et l'application de catégories innées, nous donnent une authentique connaissance du monde et un accès à ces qualités premières qui ne sont pas produites par l'interaction des objets du monde extérieur.

Après Descartes, et en partie contre lui, une deuxième grande tradition épistémologique va apparaître, cette fois en Grande-Bretagne : l'empirisme.

DEUX RATIONALISTES ÉMINENTS

BARUCH SPINOZA (1632-1677). Ce Juif hollandais sera excommunié par sa communauté et gagnera sa vie en polissant des verres. Il est notamment l'auteur d'une Éthique qu'il devra renoncer à publier pour des raisons de sécurité et qui est exposée sur le modèle de la géométrie euclidienne, avec des axiomes, des postulats, des théorèmes, etc.

GOTTFRIED WILHELM LEIBNIZ (1646-1716).
Diplomate, avocat, immense mathématicien à qui
l'on doit (il le découvre en même temps que Newton)
le calcul différentiel et intégral, ce polymathe est un
philosophe connu notamment pour sa surprenante
théodicée, qui défend l'idée que nous habitons le
meilleur des mondes possibles.

GALILÉE EXPLIQUE LA DISTINCTION
ENTRE QUALITÉS PREMIÈRES
ET QUALITÉS SECONDES

DÈS QUE JE CONÇOIS une matière ou une substance
corporelle, je sens immédiatement la nécessité de
concevoir aussi qu'elle est limitée et qu'elle a telle ou
telle figure, qu'elle est grande ou petite en relation
à d'autres, qu'elle est en tel ou tel lieu et tel ou tel
temps, qu'elle se meut ou reste immobile, qu'elle
touche ou ne touche pas un autre corps, qu'elle
est une ou en petit nombre ou en grand nombre.
Je ne puis la séparer de ces conditions par quelque
effort d'imagination que ce soit. Mais qu'elle doive
être blanche ou rouge, amère ou douce, sonore
ou muette, d'odeur agréable ou désagréable, je ne
me sens nullement l'esprit forcé de l'appréhender
comme accompagnée de ces conditions. Et même,
si les sens ne me guidaient, jamais le discours ou
l'imagination n'y arriveraient. Pour cette raison,
je pense que ces saveurs, odeurs, couleurs, etc., du
côté du sujet où elles semblent résider, ne sont rien
d'autre que des noms, et ont seulement leur siège

dans le corps sensitif; si l'on supprime l'être vivant, on supprime et annihile toutes ces qualités[7].

LE CERCLE CARTÉSIEN?

L'UNE DES PLUS FORTES CRITIQUES du système de Descartes consiste à l'accuser de commettre un cercle vicieux. Voici, en quelques mots, de quoi il s'agit. Par l'argument ontologique, Descartes croit établir l'existence de Dieu parce qu'il en a l'idée claire et distincte; puis, il assure qu'il est légitime de tenir pour vraies les idées claires et distinctes parce qu'elles sont en quelque sorte, en tant que marques du vrai, garanties par ce Dieu bienveillant établi par la preuve ontologique. Une abondante littérature est consacrée à ce problème, déjà perçu par certains des contemporains de Descartes.

DIX POINTS À RETENIR

1   L'épistémologie est la théorie
de la connaissance, de sa possibilité
et de ses éventuelles limites.

2   C'est dans le cadre de l'Idéalisme
platonicien que les problèmes sont
d'abord posés et que les premières
réponses sont avancées, notamment
la célèbre définition tripartite
du savoir.

3   L'Allégorie de la caverne décrit
métaphoriquement ce que signifie,
pour Platon, accéder à la connaissance.

4   C'est dans l'œuvre de René Descartes
que la position rationaliste moderne,
en épistémologie, trouve son origine.

5   Le doute cartésien est systématique
et il rejette comme source de
connaissance les données des sens
et les mathématiques. Il débouche
sur la certitude du Cogito.

6   Par l'idée de perfection qu'il découvre en lui, Descartes pense pouvoir établir l'existence de Dieu et pouvoir ensuite reconstruire tout ce qu'il a démoli en prenant pour guides la clarté et la distinction qui caractérisent le Cogito.

7   L'expérience du morceau de cire débouche sur le concept de substance.

8   Descartes distingue des idées adventices, factices et innées, et pose ce qui sera ensuite connu comme la distinction entre qualités premières et qualités secondes.

9   La connaissance, pour les rationalistes, est possible et fondée sur des idées innées ; la science mathématisée qui en résulte nous dévoile un monde différent de celui que pense connaître le sens commun.

10   La tradition rationaliste fleurira en Europe, puis ailleurs ; elle conserve encore des adhérents, par exemple le linguiste contemporain Noam Chomsky.

CHAPITRE 2

L'ÉPISTÉMOLOGIE : L'EMPIRISME

LA TRADITION EMPIRISTE CLASSIQUE voit le jour en Grande-Bretagne et comprend trois grands noms : Locke, Berkeley et Hume. Nous aborderons leurs idées dans cet ordre.

L'EMPIRISME SELON LOCKE

L'ŒUVRE DE JOHN LOCKE (1632-1704), généralement considéré comme le fondateur de l'école empiriste anglaise, a exercé dans l'histoire des idées une très grande influence. En philosophie politique, on reconnaît généralement en lui l'un des fondateurs du libéralisme politique, une doctrine qui aura une très grande postérité et dont nous reparlerons dans cet ouvrage. En épistémologie, il inaugure la position empiriste, qui aura, elle aussi, une riche descendance.

Locke, qui était à la fois médecin et philosophe, est un contemporain d'Isaac Newton (1642-1727). On pourra commodément présenter l'empirisme qu'il va proposer comme une théorie corpusculaire de l'esprit et de la connaissance, justement avancée sur le modèle de la mécanique newtonienne, qui est une théorie atomique (ou corpusculaire) de la matière.

Ce que Locke veut montrer, et c'est toute l'ambition de l'empirisme, c'est que toute notre connaissance provient de l'expérience. C'est là un très vaste programme et Locke reconnaît modestement qu'il va surtout s'agir pour lui de l'amorcer, en écartant les erreurs et contresens qui s'opposent à sa réalisation. Pour ce faire, il doit d'abord rejeter la thèse cartésienne et rationaliste selon laquelle il existerait des idées innées. En effet, si cette thèse est vraie, le programme empiriste est d'avance voué à l'échec, puisque toute notre connaissance ne proviendrait pas de l'expérience.

Locke ouvre donc son *Essay Concerning Human Understanding* en avançant des arguments pour montrer qu'il n'existe pas d'idées innées. Le savoir mathématique, dira-t-il par exemple, celui qu'invoquent les rationalistes, est démonstratif et il faut apprendre ces démonstrations et les suivre pas à pas. De plus, les prétendues vérités évidentes et dites innées se révèlent ne pas être tenues pour telles selon les lieux et les moments. De plus, si ces idées innées existaient, elles seraient plus visibles encore chez les enfants que chez les adultes, les premiers étant moins affectés par les us et coutumes de leur société ; or, ce n'est manifestement pas le cas.

Locke ajoute pour finir qu'une théorie qui expliquerait le fonctionnement de l'esprit et qui rendrait compte de la connaissance humaine sans invoquer des idées innées serait plus simple qu'un modèle y faisant appel et, donc, préférable. Il suggère donc que l'esprit est au point de départ, chez ce bébé qui vient au monde, une tabula rasa, un tableau vide, et que ce sont les impressions reçues des sens qui vont peu à peu inscrire sur ce tableau ce qui deviendra, par le travail de l'esprit sur ces sensations, l'ensemble des connaissances de cette personne.

Locke croit donc pouvoir reconstruire notre savoir et tout ce qui peuple notre esprit avec ces simples outils : les sensations, fournies par l'expérience, la réflexion de l'esprit sur ces sensations (l'esprit, à défaut d'idées innées, possède donc, selon Locke, des capacités innées). Nous n'entrerons pas ici dans le détail de cette longue et complexe reconstruction. Mais il convient néanmoins de rappeler trois paires de distinctions.

La première distingue les idées simples et les idées complexes. Les idées simples sont en quelque sorte les atomes insécables de l'épistémologie de Locke et de sa théorie de l'esprit. Elles proviennent typiquement d'un sens, ne peuvent être décomposées et ne sont connues que par l'expérience : la couleur rouge, le froid de la glace et la saveur de l'orange en sont des exemples. Les idées complexes sont issues soit des combinaisons de ces idées simples (l'idée de pomme est construite avec les idées simples de rouge, de sphérique, etc.), soit de leur comparaison (« plus grand que », par exemple), soit de leurs relations (avant, après, loin, au sud de, etc.), soit de l'abstraction (amour, par exemple).

La deuxième paire nous est familière : c'est la distinction entre qualités premières inhérentes aux objets et qualités secondes, qui dépendent de l'observateur et de ses organes de perception. Ce sont des potentialités de l'objet et de ses qualités premières produites en nous. Prenons une pomme et posons-la sur une table. Sa forme, sa solidité, sa taille, le fait qu'elle soit située à tel endroit, immobile ou en mouvement, en sont des qualités premières. Cependant, sa saveur, sa couleur et le bruit qu'elle fera si elle tombe sont des qualités secondes de la pomme, car elles sont causées par ses qualités premières dans notre esprit et n'ont pas d'existence hors de lui.

La troisième et dernière paire de distinctions a trait aux idées particulières et aux idées générales. Locke n'a aucun mal à rendre compte de la présence en notre esprit d'idées particulières, même complexes. Mais qu'en est-il des idées générales ? Comment en vient-on à en posséder et que sont-elles ? Locke est pleinement conscient de l'ampleur de cette difficulté : « Puisque, demande-t-il, toutes les choses qui existent sont seulement particulières, comment en vient-on à utiliser des termes généraux[2] ? »

La réponse de Locke est qu'il s'agit d'idées complexes créées par abstraction : « Les mots deviennent généraux lorsque nous en faisons les signes d'idées générales : et des idées deviennent générales quand nous les séparons de leurs circonstances de temps, de lieu et de toutes autres idées qui pourraient les consigner à telle ou telle existence. C'est de cette manière, par abstraction, qu'elles sont capables de représenter plus d'une chose individuelle[3]. »

Au réalisme platonicien, qui croit en l'existence d'Idées, Locke oppose donc une théorie de l'abstraction selon laquelle, ayant noté une même caractéristique commune à des objets, nous assignons un nom à cette caractéristique. Les catégories générales n'existent donc pas en elles-mêmes, comme le pensait Platon : elles sont des concepts créés par abstraction – et la position de Locke est pour cette raison appelée le conceptualisme.

Les idées de Locke sont souvent d'abord reçues comme exprimant une épistémologie et une théorie de l'esprit finalement assez proches du sens commun et éminemment raisonnables. Elles génèrent pourtant de graves problèmes et, comme on va le voir, l'empirisme est devenu de plus en plus difficile à croire et de moins en moins attrayant à mesure qu'il a tenté de résoudre ces problèmes.

L'un de ces malaises est déjà présent chez Locke, quand il traite de cette notion de substance, capitale dans la position rationaliste. Qu'on en juge : aussi, toute personne examinant sa notion de pure substance en général découvrirait qu'elle n'en a absolument aucune autre idée que la supposition seule d'un je-ne-sais-quoi, support de qualités capables de produire en nous des idées simples ;

et ces qualités sont communément appelées accidents. Si l'on demandait quelle est la chose à laquelle sont inhérents la couleur ou le poids, il ne trouverait à dire que : « Les éléments étendus solides. » Et si on lui demandait la nature de ce en quoi sont inhérentes cette solidité et cette étendue, il ne serait pas dans une situation meilleure que l'Indien déjà cité ; il disait que le monde était soutenu par un grand éléphant, et on lui demanda : « Sur quoi l'éléphant repose-t-il ? » ; il répondit : « Sur une grande tortue. » ; mais on insista : « Qui soutient la tortue au large dos ? », et il répliqua : « Quelque chose, je ne sais quoi[4]. »

L'IMMATÉRIALISME DE BERKELEY

ON DOIT AU JEUNE GEORGE BERKELEY (1685-1753) une position épistémologique et métaphysique étrange, mais frustrante tant elle est difficile à réfuter : l'idéalisme subjectiviste ou immatérialisme.

Berkeley, qui deviendra évêque, était horrifié des conséquences que pouvaient avoir la science et le matérialisme des Lumières sur la religion et sur la foi et il s'en prit à l'empirisme qu'il tenait pour leur fondement. Sa critique a d'autant plus de portée qu'elle procède de l'admission provisoire des principales thèses empiristes, afin de montrer que leur admission même conduit à conclure qu'elles sont intenables... à moins de faire intervenir Dieu !

Dès l'ouverture de son *Traité sur les principes de la connaissance humaine*, Berkeley accorde donc à l'empiriste sa thèse quant à l'origine de la connaissance humaine : celle-ci provient bien de données des sens qui sont présentes à l'esprit. Cependant, Berkeley conteste aussitôt la distinction que prétendait établir Locke entre qualités premières et qualités secondes.

Cette distinction, argue Berkeley, est factice et intenable puisque dans l'expérience, ce ne sont toujours que des impressions subjectives que je reçois – ce que Berkeley appelle des idées. Comme on l'a vu, Locke en convient en ce qui concerne les qualités secondes ; mais Berkeley affirme que Locke n'a aucune raison de ne pas l'admettre aussi pour les qualités premières. C'est que la dureté, la localisation dans l'espace, le nombre et ainsi de suite sont, eux aussi, des idées et ne sont rien en dehors d'elles. Avec Berkeley, considérez par exemple une cerise : je vois cette cerise, je la touche, je la goûte, je suis sûr que le néant ne peut être vu, touché ou goûté ; la cerise est donc réelle. Enlevez les sensations de souplesse, d'humidité, de rougeur, d'acidité et vous enlevez la cerise, puisqu'elle n'existe pas à part des sensations. Une cerise, dis-je, n'est rien qu'un assemblage de qualités sensibles et d'idées perçues par divers sens : ces idées sont unies en une seule intelligence parce que celle-ci remarque qu'elles s'accompagnent les unes les autres. Ainsi, quand le palais est affecté de telle saveur particulière, la vue est affectée d'une couleur rouge et le toucher d'une rondeur et d'une souplesse, etc. Aussi, quand je vois, touche et goûte de ces diverses manières, je suis sûr que la cerise existe, qu'elle est réelle ; car, à mon avis, sa réalité n'est rien si on l'abstrait de ces sensations[5].

Locke était donc mal avisé de prétendre distinguer entre deux types de qualités, certaines supposées inhérentes à l'objet extérieur, les autres dépendantes de l'application à cet objet de notre appareil perceptif. Nous ne connaissons le monde que par des données des sens et ces données des sens sont ce que nous appelons le monde.

Mais il y a pire encore. Locke voulait ensuite attribuer ces qualités à une mystérieuse substance, à propos de laquelle, de son aveu même, il ne pouvait rien dire. Et pour cause, poursuit Berkeley, puisqu'on n'a aucune raison de supposer qu'elle existe. Locke, ici, n'a pas été fidèle aux préceptes empiristes qui enjoignent de ne pas multiplier les entités nécessaires à l'explication d'un phénomène donné. Des idées existent en nous et il y a un esprit (le nôtre) qui les perçoit. La mystérieuse substance, la supposée matière non perçue et inconnue qui se situerait derrière ces idées est, justement, superflue. Notre expérience même nous conduit à admettre que seules existent ces idées et ce qui les perçoit, l'esprit : d'où l'idéalisme subjectiviste (ou encore l'immatérialisme) de Berkeley, qu'il résumera en une formule lapidaire : *esse est percipi*, c'est-à-dire « être, c'est être perçu ». Revenons à notre cerise : « Mais si par le mot "cerise" vous entendez une nature inconnue, distincte de toutes ces qualités sensibles et, par son existence, quelque chose de distinct de la perception qu'on en a, alors certes, je le déclare, ni vous, ni moi, ni aucun autre homme, nous ne pouvons être sûr de son existence[6]. »

QU'EST-CE QUE LE NOMINALISME ?

BERKELEY CONTESTE AUSSI la notion d'idée abstraite et le conceptualisme que défend Locke. Une telle idée abstraite, tirée de l'expérience, est, insiste-t-il, tout simplement inconcevable : elle exigerait de nous, par exemple, d'avoir à l'esprit une idée de triangle qui ne soit ni isocèle, ni rectangle, ni d'aucune forme triangulaire précise et qui les soit toutes à la fois. Le conceptualisme mis en avant par Locke, conclut Berkeley, est donc une erreur et nos concepts ne sont que des noms. Cette position de Berkeley est appelée nominalisme. Elle est la troisième et dernière grande position classique sur la question des universaux, c'est-à-dire la question du mode d'existence de ces catégories universelles comme « blancheur » ou « humanité » que possède notre langage. Les deux autres sont bien entendu le conceptualisme de Locke et le réalisme (des Idées) proposé par Platon.

QU'EST-CE QUE L'ARGUMENT MASSUE DE BERKELEY ?

BERKELEY A À CE POINT CONFIANCE qu'un de ses arguments en faveur de l'idéalisme est irréfutable, qu'il est prêt à jouer sur lui tout son système. Ses commentateurs l'ont d'ailleurs appelé « l'argument massue ». Le voici : « [...] Je consens à faire dépendre tout le litige de ce seul point. Si vous pouvez comprendre la possibilité qu'une substance étendue et mobile, ou en général une idée ou quelque chose qui ressemble à une idée, existe autrement qu'en un esprit qui la conçoit, je suis prêt à vous donner gain de cause. Mais, dites-vous, sûrement il n'y a rien qui me soit plus aisé que d'imaginer des arbres dans un parc ou des livres dans un cabinet et personne là pour les percevoir. Je réponds : vous le pouvez, cela ne fait point de difficulté ; mais qu'est cela, je le demande, si ce n'est former dans votre esprit certaines idées [...] ? Vous même, ne les percevez-vous pas ou ne les pensez-vous pas pendant ce temps ? Cela ne fait donc rien à la question ; c'est seulement une preuve que vous avez le pouvoir d'imaginer ou former des idées dans votre esprit, mais non que vous avez la possibilité de concevoir que les objets de votre pensée existent hors de l'esprit. Quand nous faisons tout notre possible pour concevoir l'existence des corps externes, nous ne faisons tout le temps que contempler nos propres idées[7]. »

Mais si on accorde à Berkeley ce qu'il avance, celui-ci a un grave problème à résoudre : celui du mode d'existence des objets pendant qu'ils ne sont pas perçus. Le réalisme représentatif (c'est le nom donné à cet aspect de la position de Locke) le résout aisément, puisqu'il pose qu'il y a bien une substance qui persiste pendant qu'elle n'est pas perçue. Mais, pour Berkeley, exister, c'est exister comme idée, comme donnée des sens, ce qui exige un percepteur. Comment Berkeley peut-il résoudre cette difficulté ?

Vous l'aurez sans doute deviné : il avance que c'est Dieu qui est le percepteur universel, l'esprit toujours présent par lequel existent ces données des sens constantes et régulières !

Outre la foi et la religion, Berkeley pensait défendre le sens commun et sortir la philosophie de cette bien gênante position où l'avait mise, selon lui, d'une part Descartes, en demandant de prouver l'existence du monde, d'autre part Locke, qui rendait infranchissable le fossé entre nos perceptions et une mystérieuse et à jamais inaccessible substance matérielle. Celle-ci éliminée, tout rentre selon lui dans l'ordre : la foi, la science et le sens commun sont rétablis. Le cheval est à l'écurie, les livres sont dans la bibliothèque, tout comme avant. Toutefois, cheval et livres sont désormais des idées que Dieu m'envoie.

Mais cette nouvelle métaphysique à laquelle on aboutit, semble-t-il très logiquement à partir de l'empirisme de Locke, est pour le moins extraordinaire. La transformation de l'empirisme n'est cependant pas achevée et il conduira, entre les mains de David Hume, à un très singulier scepticisme.

LE SCEPTICISME DE HUME

DAVID HUME (1711-1776) a publié son *Treatise on Human Nature* en 1739, alors qu'il était encore très jeune. Ce livre n'en contient pas moins l'essentiel de ses contributions capitales à la philosophie, lesquelles sont souvent considérées comme l'aboutissement de l'empirisme.

Le point de départ de Hume est celui de tout empiriste, soit l'origine de toute connaissance dans l'expérience. Selon lui, nous avons accès à des perceptions de notre esprit qui se divisent en deux catégories : les impressions et les idées. Les premières sont le matériau primitif de la connaissance et elles sont, soit des sensations (les couleurs, les sons, les odeurs, etc.), soit des réflexions (ressentir de la joie, de la peur, du plaisir, etc.). Les idées sont des copies des impressions, produites, soit par la mémoire, soit par l'imagination, et se distinguent d'elles par leur degré de vivacité. Ces idées peuvent être simples (rouge) ou complexes, quand des idées simples sont réunies (celle de pomme provient, disons, de rouge, rond et savoureux).

Comment, de ce point de départ, peut-on organiser et produire de la connaissance ? Pour répondre à cette question, Hume distingue trois principes d'association des idées, qui sont un peu comme les lois d'attraction qui régissent les phénomènes physiques ou chimiques. Ces trois principes sont les suivants : la ressemblance, la contiguïté et la causalité. C'est ainsi (ressemblance) qu'une photographie ressemble à son sujet et me fait penser à lui, que si (contiguïté) je pense à la pièce dans laquelle j'écris, je pourrai être amené à penser aux livres qui s'y trouvent et que si (causalité) je pense à de l'eau mise sur le feu, je penserai qu'elle va bouillir puisque la chaleur est la cause de l'ébullition de l'eau.

L'ambition de Hume sera de rendre compte de toute notre activité cognitive, de tout le contenu possible de notre pensée et, donc, de tout ce que nous pouvons savoir à l'aide des seuls outils que sont les impressions, les idées et leur réorganisation selon les principes posés.

Hume propose ensuite une importante distinction, qui sera par la suite connue sous le nom de « fourche de Hume » (le mot « fourche » doit s'entendre ici comme une croisée de chemins à laquelle il nous faut nécessairement nous engager sur une route ou une autre).

Hume suggère que toutes nos propositions qui peuvent prétendre avoir valeur de vérité appartiennent à deux classes exclusivement. Il suggère ainsi que chacune de nos propositions exprime ou bien une relation entre des idées ou bien un ou des faits.

Les premières sont intuitivement ou démonstrativement saisies par l'esprit qui les conçoit : elles paraissent irréfutables, évidentes et leur contraire est impossible à concevoir et contradictoire. Par exemple : « Toutes les personnes célibataires ne sont pas mariées » exprime de telles relations entre des idées, car cette proposition nous rappelle simplement ce que signifie « être célibataire », à savoir « non marié ». Pour en convenir, il n'est pas besoin de faire un sondage auprès des personnes célibataires pour leur demander si elles sont ou non mariées. L'énoncé : « Tous les kangourous sont des animaux » est de même nature. Si quelqu'un vous assure avoir vu un kangourou qui n'est pas un

animal, il ne sera pas nécessaire de prendre l'avion
pour l'Australie afin d'aller voir cette créature :
il vous suffira de lui expliquer ce que signifient
« kangourou » et « animal ».

On l'aura compris, Hume rend ainsi compte des
vérités logiques et mathématiques que les rationalistes
tiennent pour l'exemple type du savoir, mais il le fait
sans mettre en péril le programme empiriste, puisque
les propositions logiques ou mathématiques, comme
toutes celles qui expriment des relations entre des
idées, ne nous disent rien sur le monde. Ce sont,
pour employer le terme technique qui convient,
des tautologies, et donc des propositions dont le
contenu informatif est nul. Ces propositions sont
toujours vraies, mais, pour cette raison même, elles
ne disent rien sur le monde. Donnons un exemple
tout simple. Vous pouvez être absolument certain
que : « Ou bien il pleut, ou bien il ne pleut pas »,
mais cela ne vous dit rien sur le temps qu'il fait.
Vous pouvez acquérir cette certitude que « il pleut
ou il ne pleut pas » simplement en examinant cette
dernière proposition : mais elle ne vous est d'aucun
secours pour savoir si vous devez aujourd'hui
apporter votre parapluie en sortant de chez vous.
Ces propositions tautologiques, celles de la logique
et des mathématiques, expriment des relations entre
des idées et Hume convient qu'elles sont connues
a priori, c'est-à-dire avant et indépendamment de
toute expérience.

Pour savoir si vous devez prendre votre parapluie,
vous devez savoir s'il pleut ou non en ce moment et
« il pleut » est une proposition du deuxième genre.

Il s'agit d'une proposition factuelle, qui exprime un état de fait réel ou du moins présumé tel. Les propositions factuelles sont déclarées vraies ou fausses, non pas simplement en les examinant, mais *a posteriori*, en confrontant leur contenu au monde, c'est-à-dire en les vérifiant par l'expérience.

On ne mesure pas toujours immédiatement la très grande puissance de l'outil que Hume vient de forger. Mais pensons-y bien. Il implique que toute proposition qui prétendra avoir valeur de vérité sera ou bien du premier genre (on dira après Hume : « analytique ») ou du deuxième genre (on dira après Hume : « synthétique »), faute de quoi elle ne voudra rien dire du tout et sera, littéralement, non signifiante.

Si elle est analytique, elle sera vide de contenu factuel et ne sera qu'une sorte de jeu verbal, peut-être fort complexe, mais qui ne sera malgré tout rien d'autre qu'une tautologie.

Si elle est synthétique, et seulement en ce cas, elle pourra nous apprendre quelque chose sur le monde. Mais, dans ce cas, elle ne pourra être connue que par expérience, *a posteriori*. Et il faudra donc que ce qu'elle exprime soit, en dernière analyse, réductible à des impressions et à leur combinaison, et vérifié par l'expérience. « Le chat est sur le tapis » n'est pas une proposition non signifiante et n'est pas, non plus, une proposition analytique ; elle est donc synthétique et ne peut être connue qu'*a posteriori*. Puisqu'elle dit quelque chose sur le monde, ce qu'elle signifie est analysable en termes d'impressions et d'idées et de leurs combinaisons qui composent ce que veulent dire *chat, tapis* et le fait *d'être quelque part*. Hume écrit : toutes les idées, spécialement les idées abstraites, sont par nature vagues et obscures : l'esprit n'a que peu de prise sur elles. Elles sont telles que l'on peut les confondre avec d'autres idées ressemblantes. Quand nous avons souvent employé un terme, nous sommes enclins à penser qu'une idée déterminée lui est attachée. Au contraire, toutes les impressions, c'est-à-dire toutes les sensations, aussi bien des sens externes que du sens interne, sont fortes et vives. Les limites qui les séparent sont plus exactement déterminées. En ce qui les concerne, il n'est pas aisé de se tromper ou de se méprendre. Quand nous nourrissons le soupçon qu'un terme philosophique soit employé sans sens ou sans idée (comme c'est trop fréquent), nous devons rechercher de quelle impression cette prétendue idée dérive, et s'il est impossible d'en assigner une, notre soupçon sera par là confirmé[8].

Cette proposition (« Le chat est sur le tapis ») est-elle vraie ? Le programme empiriste est parachevé en assurant que c'est l'expérience, et elle seule, qui vous le dira. On devine les ravages que cette simple maxime peut opérer sur tant de notions de la philosophie ou du sens commun.

Mieux que quiconque, c'est Hume lui-même qui a rappelé la puissance de la distinction qu'il a mise de l'avant par ces mots sur lesquels se termine son *Enquête sur l'entendement humain* : « Quand, persuadés de ces principes, nous parcourons les bibliothèques, que nous faut-il détruire ? Si nous prenons en main un volume de théologie ou de métaphysique scolastique, par exemple, demandons-nous : Contient-il des raisonnements abstraits sur la quantité ou le nombre ? Non. Contient-il des raisonnements expérimentaux sur des questions de fait et d'existence ? Non. Alors, mettez-le au feu, car il ne contient que sophismes et illusions. » Bien des ouvrages de métaphysique, de morale et de religion, entre autres, sont ainsi promis aux flammes. C'est qu'on cherchera en vain à quelles impressions des mots comme Dieu, substance, âme et une infinité d'autres peuvent bien correspondre.

Le scepticisme de Hume, déjà ravageur, est plus vaste et plus profond encore et il concerne les limites qu'il va assigner au savoir empirique lui-même par sa célèbre analyse de la catégorie de causalité.

Celle-ci est, à l'évidence, cruciale dans l'organisation de la connaissance humaine. Pour le comprendre, revenons à nos jugements synthétiques. Les propositions des sciences (sauf les mathématiques et la logique) sont de cet ordre, de même que tant de propositions que nous avançons ou tenons pour acquises dans notre vie quotidienne. La catégorie de causalité est alors cruciale dans ces jugements, puisqu'elle nous permet d'aller au-delà du simple enregistrement des faits singuliers. Par exemple, je mets l'eau sur le feu et je pense qu'elle va bouillir et que le feu est la cause de son ébullition. La science empirique, de même, a constamment recours à cette catégorie de causalité qui permet de prédire ce qui se produira dans certaines conditions précises. Mais comment peut-on savoir qu'un événement est la cause d'un autre ? À l'évidence, nous ne sommes pas ici devant une relation entre des idées : l'idée de froid ne contient pas celle de faire durcir l'eau. La question, pour Hume, revient donc à demander à quelle impression (ou à quelles impressions) cette idée de cause peut bien correspondre.

Hume prend l'exemple d'une boule de billard qui en frappe une autre. On dit alors que la première est la cause du mouvement de la deuxième. À quelles impressions cela renvoie-t-il exactement ? En d'autres termes, que peut-on observer ?

Nous observons, explique Hume, qu'un événement en précède un autre : la boule A se déplace vers la boule B avant que la boule B ne se déplace à son tour. Nous observons aussi la contiguïté des événements : la boule A percute la boule B. Priorité et contiguïté sont bien deux composantes de cette idée de causalité, mais elle comprend autre chose, à savoir l'idée que la boule B doit se déplacer quand elle a été percutée. Hume appelle cette troisième dimension de notre idée de causalité la connexion nécessaire entre deux événements. Et il pose la question décisive à son propos : qu'est-ce qui est observé qui y correspond ? Et il répond : rien du tout. Nous observons bien que ceci se produisant, cela se produit ensuite, mais pas que cela se produit nécessairement parce que ceci s'est d'abord produit. Nous observons la succession, mais pas la connexion nécessaire, le « et puis », mais non le « parce que ». Le concept de causalité est, lui aussi, dit Hume, un « terme philosophique [...] employé sans sens ou sans idée ».

Cette conclusion sceptique est dramatique. Elle implique, strict empirisme oblige, que nous ne pouvons pas être certain, puisque nous n'avons pas de base empirique observationnelle pour cela, que la même cause produira le même effet, que l'avenir ressemblera au passé, que tous les cas à venir seront semblables à ceux, même très nombreux, que nous avons déjà observés. Quand elle sera discutée par la suite en philosophie, cette conclusion sera appelée le problème de l'induction.

HUME, SCEPTIQUE TRANQUILLE

SI LA RAISON, comme le suggère Hume, a un pouvoir bien moins étendu qu'on a pu le penser, si nous avons si peu de bases rationnelles pour soutenir tant de choses qui sont tenues pour acquises dans notre vie quotidienne, ne risque-t-on pas de sombrer dans un scepticisme paralysant pour l'action et terrifiant pour la pensée ? Hume, quant à lui, s'accommodait assez bien de son propre scepticisme. Ce que la raison ne peut fonder, suggère-t-il, l'habitude et l'instinct parviennent à le faire croire. C'est justement le cas en ce qui concerne le monde extérieur, qui a obsédé tant de penseurs avant lui : un instinct naturel nous porte irrésistiblement à croire en son existence, même si la raison ne peut la prouver. Il écrira à ce sujet le passage suivant, souvent cité : « Fort heureusement, bien que la raison soit incapable de dissiper ces nuages, il se trouve que la nature elle-même suffit pour atteindre ce but et me guérir de cette mélancolie et de ce délire philosophiques, soit en changeant cette pente de l'esprit, soit par quelque distraction, soit par une vive impression de mes sens qui efface toutes ces chimères. Je dîne, je joue au backgammon, je parle et j'ai du plaisir avec mes amis ; puis, quand après trois ou quatre heures d'amusement, je veux retourner à ces spéculations, elles me paraissent si froides, si contraintes et si ridicules que je n'ai pas le cœur de les poursuivre[9]. »

Il reste toutefois une question pressante. Si on n'observe pas la connexion nécessaire, s'il n'y a aucune nécessité dans la relation entre deux événements du monde, comment en vient-on à avoir cette idée de causalité ? Hume répond : « Par habitude. » J'ai observé de nombreuses fois que A percutant B, B se déplace et j'appelle « cause » mon attente de voir ce phénomène se produire cette fois encore. La causalité est un fait de la psychologie des êtres humains, pas une donnée du monde. Nos prédictions fondées sur elle pourront toujours être démenties, les cas futurs pourront ne pas ressembler aux cas observés par le passé et le soleil pourrait ne pas se lever demain. Et s'il vous vient à l'idée d'invoquer les lois de la nature, son uniformité ou autre semblable explication, Hume vous fera remarquer que ce ne sont pas là des propositions analytiques et que ce ne sont pas non plus des propositions synthétiques : en fait, il vous accusera de poser le principe d'induction (les lois de la nature ont valu par le passé et vaudront à l'avenir) pour justifier le principe d'induction (les lois de la nature, qui ont valu par le passé, vaudront à l'avenir). Comme le dira Ludwig Wittgenstein, c'est comme si vous achetiez de nombreuses copies du journal du jour pour vous assurer de la véracité des nouvelles.

Cette fois encore, prenons un peu de recul afin de synthétiser et d'évaluer la position empiriste en épistémologie.

Elle fait ultimement dériver notre connaissance du monde de l'expérience et donc de nos sens, l'activité de la raison consistant à organiser ce matériau. Les mathématiques et la logique sont ici vues comme produisant des propositions liant entre elles des idées, mais ne disant rien sur le monde. Notre connaissance du monde implique le recours à la causalité (et à l'induction) qui ne repose ultimement sur rien d'autre que l'habitude.

L'empirisme tend donc à considérer toute notre connaissance comme provisoire et faillible et à penser qu'elle ne consiste, au mieux, qu'en opinions hautement probables et pour cela dignes de confiance.

La confiance en la possibilité de la connaissance et en sa valeur est, on le voit, grandement réduite par rapport à l'optimisme des rationalistes.

Bien des philosophes restent attachés à ces idées. Mais elles n'ont pas convaincu tout le monde, comme nous le verrons dans le chapitre suivant.

DIX POINTS À RETENIR

1   La maxime empiriste est : l'esprit est un tableau vide et toute connaissance qui s'y trouvera provient de l'expérience.

2   Locke distingue des idées simples et des idées complexes ; des qualités premières et des qualités secondes ; des idées particulières et des idées générales.

3   Selon Locke, c'est par abstraction que l'on produit des idées générales.

4   Berkeley déclare irrecevable la distinction entre qualités premières et qualités secondes : seules existent des idées et l'esprit qui les perçoit (*Esse est percipi*). Dieu est le percepteur universel.

5   À propos des idées générales, Platon était réaliste et Locke, abstractionniste ; Berkeley, lui, est nominaliste.

6   Hume, dont le système débouche sur un profond scepticisme, part d'une distinction entre impressions et idées.

7   Les idées sont associées selon trois
      principes : ressemblance, contiguïté
      et causalité.

8   La « fourche de Hume » distingue
      propositions qui expriment des relations
      entre des idées et propositions qui
      expriment un ou des faits. Dans une
      bibliothèque à son goût, les livres
      contenant autre chose devraient
      être brûlés.

9   La causalité n'est qu'une croyance
      née de l'habitude de voir des événements
      se succéder.

10   Pour les empiristes, la valeur de
      la connaissance, qui provient de
      l'expérience, est modeste et la
      connaissance est toujours faillible.

CHAPITRE 3

L'ÉPISTÉMOLOGIE : LA SYNTHÈSE KANTIENNE ET AU-DELÀ

EMMANUEL KANT (1724-1804) a été formé dans le cadre de la tradition rationaliste et, donc, avec une grande confiance en les capacités de la connaissance humaine, confiance que les développements des sciences de son temps, tout particulièrement de la récente physique newtonienne, ne pouvaient qu'alimenter. Le jeune Kant pensait en outre que nous pouvions, à l'aide de la seule raison, répondre à certaines grandes questions concernant Dieu, le monde, l'âme ou la liberté, qui constituent le domaine de ce que la philosophie classique appelait la métaphysique spéculative.

Or, constate-t-il, si les sciences et les mathématiques sont parvenues à établir des vérités qui font consensus, la métaphysique offre quant à elle le désolant spectacle d'un champ de bataille où se sont développés des conflits stériles. De plus, la lecture de Hume et les conclusions sceptiques qu'il y découvre relativement à la connaissance scientifique sont, on le devine, extrêmement troublantes pour lui : « Je l'avoue, écrira-t-il, ce fut l'avertissement de David Hume qui interrompit d'abord, voilà bien des années, mon sommeil dogmatique, et qui donna à mes recherches en philosophie spéculative une tout autre direction[1]. »

Kant mettra de nombreuses années à répondre aux défis posés par l'inaboutissement de la métaphysique et par l'œuvre de Hume. Le résultat de ses efforts ne paraîtra qu'en 1781, sous le titre de *Critique de la raison pure*. C'est l'un des ouvrages d'épistémologie et même de philosophie les plus influents de tous les temps, mais aussi l'un des plus difficiles, des plus complexes et des plus touffus qui soient. Dans les pages qui suivent, notre ambition, modeste, sera de faire saisir, non le détail, mais bien la nature de la réponse donnée par Kant à Hume, afin de montrer ce que signifie cet idéalisme transcendantal dont il est le créateur.

L'IDÉALISME TRANSCENDANTAL ET LES ÉPISTÉMOLOGIES CONSTRUCTIVISTES

LA MANIÈRE LA PLUS SIMPLE de comprendre ce qu'accomplit Kant dans la *Critique de la raison pure* est de partir de la « fourche de Hume », que nous connaissons. Kant propose un nouveau vocabulaire pour revenir sur ce que Hume voulait distinguer.

Pour commencer, il distingue deux types de propositions qu'il appelle « analytiques » et « synthétiques ».

Les propositions analytiques, dit-il, sont celles dans lesquelles le prédicat (en termes simples : la qualité attribuée à ce dont on parle) appartient d'emblée, même si c'est de manière implicite, au sujet : une telle proposition ne fait en somme rien d'autre que déployer ou expliciter ce que le sujet contient, de sorte que les nier entraîne une contradiction.

Les propositions synthétiques, au contraire, sont celles dans lesquelles le prédicat n'est pas contenu dans le sujet : leur négation, cette fois, n'implique aucune contradiction.

Kant suggère ensuite une deuxième paire de distinctions, cette fois entre des connaissances qu'il nomme les unes *a priori* et les autres *a posteriori*.

Les premières, dit-il, sont connues avant et indépendamment de toute expérience, elles sont universelles et nécessaires, tandis que les secondes sont connues par l'expérience, elles sont particulières et contingentes.

On peut comprendre le projet de Kant à partir de là en disant qu'il convient avec Hume que toutes les propositions analytiques sont *a priori* et que toutes les propositions *a posteriori* sont synthétiques. Cependant, Kant nie que toutes les propositions synthétiques sont *a posteriori* et que toutes les propositions *a priori* sont analytiques. En d'autres termes, Kant veut montrer qu'il existe des propositions et des connaissances synthétiques *a priori*. Saisir cette idée demande un peu de gymnastique mentale. De telles propositions seraient synthétiques : elles nous diraient quelque chose de vrai à propos du monde ; mais elles seraient aussi *a priori*, et donc connues indépendamment de l'expérience. Kant entend montrer que les sciences empiriques et les mathématiques comprennent de tels jugements synthétiques *a priori* – d'où leur succès – et comment ils y sont mis en œuvre. En prime, une telle analyse pourra nous dire si une métaphysique spéculative est possible et, dans l'affirmative, comment.

Toute la problématique épistémologique de Kant peut donc être ramenée à une simple question, qu'il formule ainsi : « Comment des jugements synthétiques *a priori* sont-ils possibles ? » Pour y répondre, il entreprend un examen critique de la faculté de connaître qui débouchera sur ce qu'on peut exprimer comme une sorte de compromis entre le rationalisme et l'empirisme.

Au total, comme on va le voir, Kant concède en effet à l'empiriste que des données de l'expérience sont nécessaires pour qu'on puisse parvenir à connaître ; mais il ajoute que l'empirisme a tort de penser que cela suffit, puisque cette expérience ne peut pas ne pas être organisée selon des principes que notre esprit lui impose. En cela, le rationalisme pointait dans la bonne direction, mais il se trompait en négligeant le caractère indispensable de l'apport de l'expérience.

En d'autres termes, pour résoudre l'énigme qu'il pose, à savoir comprendre comment connaître des vérités à propos du monde avant et indépendamment de toute expérience, Kant répond que nous ne connaissons *a priori* du monde que ce que nous y mettons nous-mêmes. Le passage qui suit est célèbre et exprime cette idée : Si toute notre connaissance débute avec l'expérience, cela ne prouve pas qu'elle dérive toute de l'expérience, car il se pourrait bien que même notre connaissance par expérience fût un composé de ce que nous recevons des impressions sensibles et de ce que notre propre pouvoir de connaître (simplement excité par des impressions sensibles) produit de lui-même : addition que nous ne distinguons pas de la matière première jusqu'à ce que notre attention y ait été portée par un long exercice qui nous ait appris à l'en séparer[2].

UNE VIE CONSACRÉE À L'ÉTUDE

EMMANUEL KANT EST NÉ à Königsberg (aujour-d'hui Kaliningrad) le 22 avril 1724. On trouverait difficilement une vie moins mouvementée que la sienne : Kant passera l'essentiel de son existence dans sa ville natale, menant une vie faite d'étude, de promenades à heure fixe (on raconte que les habitants de Königsberg pouvaient régler leur montre sur son passage !) et de repas pris seuls ou avec des amis. Il entre comme professeur à l'université en 1755 et, les quinze années suivantes, fait paraître plusieurs ouvrages et opuscules sur une grande variété de sujets. On les considère aujourd'hui comme ses écrits mineurs et appartenant à la période dite précritique.

À compter de 1770, Kant se consacre à la rédaction de son opus magnum, la *Critique de la raison pure*. Sa parution, en 1781, marque le début de la période du criticisme (qui est l'un des noms du système de Kant). Les ouvrages majeurs se succèdent, en particulier deux autres critiques : la *Critique de la raison pratique* (1788), consacrée à la morale, et la *Critique de la faculté de juger* (1790), consacrée notamment à l'esthétique. Sur la pierre tombale de Kant figurent ces mots : « Deux choses remplissent le cœur d'une admiration et d'une vénération toujours nouvelles et toujours croissantes, à mesure que la réflexion s'y attache et s'y applique : le ciel étoilé au-dessus de moi et la loi morale en moi. »

LES JUGEMENTS SYNTHÉTIQUES
A PRIORI

CE TABLEAU VOUS AIDERA à visualiser ce que propose Kant. On notera que la position qui est la sienne le distingue doublement de ses prédécesseurs en soutenant, d'une part, que les mathématiques sont bien *a priori*, mais qu'elles ne sont pas analytiques, d'autre part que, si les sciences empiriques comme la physique comprennent bien des jugements synthétiques, certains sont *a priori*.

A PRIORI	TOUS LES CÉLIBATAIRES SONT SANS CONJOINT(E)	[KANT VEUT MONTRER QU'ILS EXISTENT]
A POSTERIORI	NE PEUT EXISTER	CERTAINS CÉLIBATAIRES COLLECTIONNENT LES TIMBRES

Cette manière d'envisager le problème de la connaissance à partir du sujet qui connaît et, plus précisément, à partir de son pouvoir de connaître, opère en épistémologie ce que Kant va appeler une « révolution copernicienne ». En montrant que, contrairement à ce qu'on pensait souvent jusqu'à lui, c'est le Soleil qui est au centre de notre système solaire et la Terre tourne autour de lui, Nicolas Copernic a opéré un radical changement de perspective en astronomie, une véritable révolution. Kant se considère comme opérant quelque chose de semblable en épistémologie.

On a admis jusqu'ici que toutes nos connaissances devaient se régler sur les objets; mais, dans cette hypothèse, tous nos efforts [...] n'ont abouti à rien. Que l'on cherche donc une fois si nous ne serions pas plus heureux [...] en supposant que les objets se règlent sur notre connaissance, ce qui s'accorde déjà mieux avec ce que nous désirons démontrer, à savoir la possibilité d'une connaissance *a priori* de ces objets qui établisse quelque chose à leur égard, avant même qu'ils nous soient donnés [3].

Kant distingue trois facultés à notre pouvoir de connaître : la sensibilité, l'entendement et la raison. Par la sensibilité – il pourra être éclairant de parler ici de réceptivité –, des objets donnés dans l'expérience sont reçus par nous. Kant distingue soigneusement la matière, c'est-à-dire le contenu, et la forme de cette intuition sensible.

C'est ici que se place une idée capitale de Kant, qui reconnaît deux formes *a priori* de la sensibilité : l'espace (ou forme du sens externe) et le temps (ou forme du sens interne). Arrêtons-nous à ces idées cruciales.

En termes très simples, elles signifient que nous ne pouvons pas ne pas percevoir le monde autrement qu'ordonné selon ces catégories d'espace et de temps. Pour le comprendre, remarquons que nous ne percevons en effet jamais l'espace ou le temps en soi, mais toujours et nécessairement (puisque, pense Kant, c'est nous qui les y mettons) des objets situés *dans* l'espace et *dans* le temps. Nous connaissons ainsi des vérités du monde *a priori*, car ce sont celles que nous y avons mises.

Avec ces deux formes *a priori* de la sensibilité, Kant pense avoir trouvé l'explication de l'applicabilité et de l'universalité de la géométrie comme de l'arithmétique et, partant de là, de toutes les mathématiques. L'espace, que décrit avant toute expérience la géométrie d'Euclide et à laquelle se conforme le monde, est celui de notre sens externe. Les nombres, qui sont la traduction de notre intuition de la succession temporelle, sont, quant à eux, liés à notre sens interne. Les jugements synthétiques *a priori* de la géométrie et des mathématiques peuvent ainsi être compris. Voilà pour la sensibilité. Kant parle ensuite de l'entendement, par quoi il réfère à notre pouvoir de juger. Pour qu'il y ait connaissance, en effet, les données reçues par la sensibilité doivent encore être mises en forme, ce qui se produit quand l'entendement, qui comprend le monde par l'entremise des concepts et organise les données de la sensibilité, intervient.

À QUOI RENVOIE LE FAMEUX
EXEMPLE : 7 + 5 = 12

POUR KANT, les propositions de l'arithmétique et des mathématiques sont synthétiques *a priori*. En cela, il s'oppose à la position empiriste, qui les donne pour analytiques. Si c'était le cas, 7 + 5 = 12 (c'est l'exemple à partir duquel Kant raisonne dans sa Critique) ne signifierait rien d'autre qu'une réécriture d'une évidence. Par exemple :

$5 = 1 + 1 + 1 + 1 + 1$;

$7 = 1 + 1 + 1 + 1 + 1 + 1 + 1$;

et $12 = 1 + 1 + 1 + 1 + 1 + 1 + 1 + 1 + 1 + 1 + 1 + 1$.

Mais la signification de 12, pense Kant, est quelque chose de plus que $1 + 1 + 1 + 1 + 1 + 1 + 1 + 1 + 1 + 1 + 1 + 1$ ou que $7 + 5$. Selon lui, si c'était le cas, 12 signifierait aussi $6 + 6$, $8 + 4$, $9 + 3$ et une infinité d'autres choses qu'il n'est pas nécessaire de connaître pour comprendre 12.

Il est ainsi manifeste que je sais ce qu'est 12, sans nécessairement avoir à l'esprit ou même savoir que l'opération $(\sqrt{36} \times \sqrt{4})$ $(\sqrt{16} / \sqrt{4})$ / 2 vaut également 12. Cette idée est l'une des plus controversées de toute l'épistémologie kantienne.

Ce qui suit est l'un des passages les plus ardus et les plus controversés de la *Critique de la raison pure*. Kant entreprend en effet ce qu'il appelle une déduction transcendantale des catégories, destinée à préciser ce que sont ces « formes » (ces catégories) présentes dans l'entendement de chacun de nous et qui sont nécessairement appliquées aux données de la sensibilité qu'elles mettent en concepts. Kant reprend d'abord pour cela la table des types de jugements élaborée par les logiciens à la suite d'Aristote.

La voici :

TABLE DES JUGEMENTS

QUANTITÉ	QUALITÉ	RELATION	MODALITÉ
UNIVERSELS	AFFIRMATIFS	CATÉGORIQUES	PROBLÉMATIQUES
PARTICULIERS	NÉGATIFS	HYPOTHÉTIQUES	NÉGATIFS
SINGULIERS	INDÉFINIS	DISJONCTIFS	INDÉFINIS

Partant de cette table, il établit sa propre table des catégories :

TABLE KANTIENNE DES CATÉGORIES DE L'ENTENDEMENT

QUANTITÉ	QUALITÉ	RELATION	MODALITÉ
UNITÉ	RÉALITÉ	SUBSTANCE / ACCIDENT	POSSIBILITÉ / IMPOSSIBILITÉ
PLURATILTÉ	NÉGATION	CAUSE / EFFET	EXISTENCE / NON-EXISTENCE
TONALITÉ	LIMITATION	RÉCIPROCITÉ	NÉCÉSSITÉ / CONTIGENCE

Kant peut maintenant expliquer comment sont déployés des jugements synthétiques *a priori* dans notre connaissance du monde et, partant, comment la science empirique est possible : ils le sont par l'application de ces catégories qui structurent ce que nous recevons par l'intuition sensible. Voyons cela de plus près.

En termes simples, Kant, en somme, concède à Hume qu'on n'observe pas la causalité – qui est, on l'aura remarqué, l'une des catégories qu'il recense. Mais la causalité n'est, non plus, ni une illusion, ni le simple résultat d'une habitude : c'est nous qui l'y mettons, nécessairement, parce qu'elle est un élément constitutif de notre appareil mental.

De même, nous n'observons pas non plus l'espace ou le temps : nous observons plutôt nécessairement les objets de notre expérience comme étant situés dans l'espace et le temps. En fait, la simple observation de la priorité et de la contiguïté que Hume disait observer dans son analyse de la causalité présuppose déjà une organisation spatiotemporelle, comme elle présuppose aussi la notion de substance, et ainsi de suite, pense Kant, à propos de chacune de ses catégories. C'est ainsi que dans tous nos jugements où nous mesurons des quantités, nous ne pourrons que constater soit la singularité, soit l'universalité, soit la pluralité ; que dans tous ceux où nous jugeons de modalité, une chose ne pourra pas ne pas être possible ou impossible, nécessaire ou contingente, existant ou n'existant pas ; et ainsi de suite pour toutes les catégories.

Il s'ensuit (au moins) deux conséquences capitales. La première est que pour qu'il y ait connaissance, les contributions des données de la sensibilité et du travail de l'entendement sont tous deux et conjointement indispensables. Kant résume ce résultat en une formule célèbre : « Des intuitions sans concept sont aveugles, des concepts sans intuition sont vides. » Elle nous rappelle la nécessaire collaboration des catégories et de la sensibilité, de l'intuition et de l'entendement, pour que le monde nous soit connu. En d'autres mots : des objets donnés dans l'expérience (intuition) qui ne seraient pas ordonnés par des concepts seraient sans ordre ni raison ; à l'inverse, des catégories (concepts) qui ne s'appliqueraient à rien de sensible n'auraient pas de contenu et donc pas de valeur cognitive.

La deuxième conséquence est que sitôt que l'on cherche à connaître sans ces intuitions sensibles auxquelles sont appliquées des concepts, on va au-delà de ce qui est possible et légitime. C'est précisément ce que fait la raison quand on s'occupe de métaphysique. Par raison, Kant désigne en effet cette dimension de notre faculté de connaître ayant une extension plus large que l'entendement, qui, lui, se borne à subsumer les données de la sensibilité sous des concepts : la raison, elle, fait la synthèse des éléments sensibles et recherche la condition inconditionnée des phénomènes et leur unité au-delà de toute expérience possible. C'est là pour nous une pente inévitable : ayant par exemple identifié ce que nous tenons pour la cause d'un phénomène, nous recherchons la cause de cette cause. Cette tentation d'unification et de recherche de l'inconditionné est si forte qu'il nous est impossible d'éviter de ne pas y succomber : mais elle reste une illusion lorsque la raison forge des idées n'ayant aucune base dans l'expérience. Parmi ces illusions se trouvent les trois idées centrales de la métaphysique dogmatique auxquelles rien dans l'intuition ne correspond : Dieu, le monde dans sa totalité, l'âme.

Kant a recours à une image particulièrement éclairante pour faire comprendre cette illusion de la métaphysique : « La colombe légère, lorsque, dans son libre vol, elle fend l'air dont elle sent la résistance, pourrait s'imaginer qu'elle réussirait bien mieux encore dans le vide. » L'air est évidemment ici l'expérience qui délimite le cadre possible de l'usage des catégories, et donc celui de la connaissance possible : vouloir s'en affranchir, vouloir dépasser les phénomènes pour atteindre l'absolu, c'est, pour l'oiseau, se condamner à ne plus pouvoir voler et, pour nous, à ne pas pouvoir connaître.

Pour l'établir, Kant entreprend de montrer comment la raison, outrepassant les bornes de la connaissance possible, s'enferre immanquablement dans des contradictions dont elle ne peut s'extirper. Il appelle ces contradictions des « antinomies ». Kant recense et déploie quatre de ces antinomies qui illustrent selon lui comment la raison, croyant prendre son envol en se passant de la résistance de l'air, peut prouver une chose et son contraire, et aussi bien (c'est l'une de ces antinomies) parvenir à la conclusion que le monde a un commencement dans le temps (thèse) qu'à celle voulant qu'il soit éternel (antithèse).

Mais la tentation métaphysique nous est, selon Kant, irrésistible. À tout le moins pense-t-il, par son œuvre critique, avoir délimité ce qu'on peut attendre de cette métaphysique que nous persistons à pratiquer, malgré qu'elle ne constitue nullement un savoir. En une formule célèbre, il résumera son propos en disant qu'il a dû « abolir le savoir afin d'obtenir une place pour la croyance ».

Vous venez de passer à travers le passage le plus complexe de ce livre et, je l'espère, de saisir les grandes lignes de l'une des œuvres les plus difficiles de toute la philosophie. Cependant, n'y a-t-il pas moyen d'éclaircir un peu tout cela ? Fort heureusement, oui.

En fait, deux métaphores éclairantes sont souvent utilisées pour faire saisir ce que Kant affirme : celle des lentilles de contact et celle des photographies mélangées. Imaginez que l'on vous ait greffé à la naissance des lentilles de contact roses : tout ce que vous observeriez serait en ce cas teinté de rose. C'est un peu ce que Kant suggère : l'espace, le temps, les catégories sont de telles lentilles à travers lesquelles le réel est perçu par nous. La deuxième métaphore, que j'adapte ici, a été imaginée par le professeur Robert Kane et vous demande de supposer que vous êtes un enquêteur qui arrive sur le lieu d'un incendie présumé criminel. Les caméras de surveillance, tant à l'extérieur qu'à l'intérieur du bâtiment, fonctionnaient mal et n'ont réussi qu'à prendre des clichés à intervalles irréguliers. Comble de malchance, ces clichés ont été mélangés et vous sont remis dans un complet désordre. Mais vous vous mettez à l'œuvre pour reconstruire la séquence des événements. Vous placez d'abord une photographie où l'on voit de loin un homme en noir et masqué portant un bidon approcher du bâtiment; puis une autre où il est plus proche, une autre encore où il force la porte, etc. Voici l'homme à l'intérieur du bâtiment : vous placez alors le cliché où il verse le contenu du bidon avant celui où il craque une allumette et ces deux-là avant celui où il s'enfuit.

Ce que Kant dirait, c'est qu'en ventilant de la sorte les photographies, vous appliquez précisément ces cadres conceptuels que sont l'espace, le temps et les catégories (quantité, modalité, substance, causalité et ainsi de suite). Cette métaphore veut suggérer que votre organisation des clichés est comme votre expérience : celle-ci n'est jamais une simple série de perceptions non ordonnées ou non structurées, mais elle est au contraire organisée par des principes constitutifs de votre pouvoir de connaître.

UN PEU DE RECUL

L'HÉRITAGE LÉGUÉ PAR KANT est immense. On le retrouve en particulier aujourd'hui en psychologie cognitive et dans tous les efforts qui visent à montrer que nous ne sommes pas de simples récepteurs passifs d'informations transmises par nos sens, mais bien, en un sens, des constructeurs du monde.

Cependant, la pensée de Kant est un idéalisme (dit transcendantal) qui implique que nous ne pouvons jamais connaître que les phénomènes et jamais les noumènes (voir le petit lexique kantien qui suit). C'est là un prix extrêmement lourd à payer, trop lourd aux yeux de beaucoup. De plus, certaines des analyses kantiennes ont été contredites par les découvertes scientifiques ultérieures. C'est ainsi que nous connaissons aujourd'hui d'autres géométries que celle d'Euclide, présumée par Kant être unique et synthétique *a priori* ; et qu'Einstein a contraint la physique à renoncer à ce temps newtonien que Kant pensait, cette fois encore, synthétique *a priori*.

AU-DELÀ DES ÉPISTÉMOLOGIES FONDATIONNALISTES

Avec Kant se referme l'épisode de l'épisté-mologie classique, à laquelle le présent ouvrage borne ses ambitions. Les options qui y ont été dessinées restent vivantes et ouvertes, mais d'autres ont été depuis explorées. Tentons d'y voir plus clair en distinguant certaines d'entre elles.

Les épistémologies classiques ont en commun de penser qu'il est possible de fonder la connaissance sur quelque chose d'assuré et qui, lui-même, ne demande pas de justification. On les dit pour cela fondationnalistes.

Il ne manque pas aujourd'hui de penseurs pour suggérer que nous devrions sortir de cette perspective fondationnaliste et aborder tout autrement l'épistémologie, sans recourir à cette métaphore d'un fondement définitif sur lequel construire la connaissance. Après tout, il est d'autres moyens que de placer des fondations pour élever un mur : on pourrait fabriquer des formes et y couler du ciment. C'est en quelque sorte ce que proposent certaines des épistémologies non fondationnalistes contemporaines.

PETIT LEXIQUE KANTIEN

CRITIQUE : Examen des pouvoirs de la raison et de notre faculté de connaître permettant de discerner ce qu'elle peut et ne peut pas accomplir ; du grec *krino*, trier, passer au crible.

PURE : Qualifie une connaissance *a priori* à laquelle « n'est mêlé rien d'empirique » ; indépendante de l'expérience.

NOUMÈNE/PHÉNOMÈNE : Ce que nous connaissons du monde, selon Kant, ne peut l'être que par l'entremise des formes *a priori* de notre sensibilité et des catégories de l'entendement : ce sont, dira-t-il, des phénomènes. Cependant, ce que le monde est, indépendamment de cette connaissance ainsi obtenue, nous reste à jamais inconnu : ce sont les noumènes.

TRANSCENDANTAL : Qui se propose de déterminer les conditions de possibilité de quelque chose. En épistémologie, la connaissance étant possible, son analyse transcendantale doit nous donner les conditions de possibilité de la connaissance. La déduction transcendantale des catégories doit déterminer celles qui sont nécessaires pour que nous ayons l'expérience que nous avons.

PRAGMATISME ET ÉPISTÉMOLOGIE NATURALISÉE

LE PRAGMATISME A, à cet égard, fait figure de précurseur. Né aux États-Unis, à cheval sur la fin du XIXe siècle et le début du XXe, il demeure aujourd'hui encore très influent. Le pragmatisme est d'abord né d'un singulier génie américain, le scientifique, mathématicien et philosophe Charles Sanders Peirce (1839-1914), qui le proposait essentiellement comme une doctrine en philosophie du langage permettant de définir ce que signifient nos concepts.

Le médecin, psychologue et philosophe William James (1842-1910) s'en est ensuite emparé et l'a déployé sur un grand nombre de questions philosophiques, souvent brillamment, mais aussi avec beaucoup de témérité. Peirce, découragé, rebaptisera avec humour sa théorie le « pragmaticisme », un nom tellement laid, dira-t-il, qu'il découragera tout kidnappeur potentiel !

Il est vrai, en tout cas, que certaines des formulations employées par James dans son épistémologie, et tout particulièrement dans sa conception de la vérité, semblent tout à fait inacceptables. James écrit ainsi : « Ce qui est vrai, c'est ce qui est avantageux de n'importe quelle manière », faisant ainsi de l'efficacité pratique et non plus de la correspondance au réel, le critère du vrai. Ce ne serait dès lors que par les applications techniques qu'elle permet qu'une théorie scientifique serait ou plutôt se révélerait vraie. Si cette conception peut à première vue être séduisante, on reconnaîtra rapidement qu'il est des vérités qui dérangent et des faussetés qui consolent ainsi que des circonstances qui rendent efficaces ou avantageuses des idées fausses. Inversement, le réconfort que procure une idée ne prouve pas sa véracité.

COMMENT LE PRAGMATISME DE PEIRCE RÉSOUT-IL LE PROBLÈME DE LA SIGNIFICATION ?

Il le résout en disant que ce que signifie un concept est défini par ses conséquences dans l'action. Peirce écrit : « Considérer quels sont les effets pratiques que nous pensons pouvoir être produits par l'objet de notre conception. La conception de tous ces effets est la conception complète de l'objet. Quelques exemples pour faire comprendre cette règle. Commençons par le plus simple possible, et demandons-nous ce que nous entendons en disant qu'une chose est dure. Évidemment nous voulons dire qu'un grand nombre d'autres substances ne la rayeront pas. La conception de cette propriété, comme de toute autre, est la somme de ses effets conçus par nous. Il n'y a pour nous absolument aucune différence entre une chose dure et une chose molle tant que nous n'avons pas fait l'épreuve de leurs effets[4]. »

Si l'on cherche une version plus crédible de l'épistémologie pragmatique, c'est du côté du philosophe, pédagogue et réformateur social John Dewey (1859-1952) qu'on la trouvera. Dewey affirme que nous ne sommes pas de simples spectateurs d'un monde dont nous serions coupés, mais des organismes inséparables de leur environnement et qui y agissent. De son point de vue, théorie et pratique, sujet et objet ainsi que corps et esprit sont autant de vains dualismes hérités de la philosophie traditionnelle. Ces dualismes ont conduit d'une part à des impasses comme celle, en épistémologie, du scepticisme à propos du monde extérieur, d'autre part, à une conception « spectatoriale » de la connaissance. Selon Dewey, tout cela doit être dépassé. Le naturalisme empiriste ou instrumentalisme qu'il propose, et qui commence par abandonner l'idée d'un sujet observateur du monde et coupé de lui, le conduit à envisager nos idées, depuis les plus humbles d'entre elles jusqu'aux plus élaborées de nos théories scientifiques, comme autant d'instruments permettant de résoudre des problèmes, des instruments qu'on abandonnera dès que de meilleurs seront disponibles.

Fortement marquée par l'œuvre de Darwin, celle de Dewey annonce aussi cette naturalisation de l'épistémologie, une avenue qui est aujourd'hui très fréquentée.

L'idée est ici de faire de l'épistémologie une branche des sciences naturelles étudiant comment les êtres humains, partant des stimulations de leurs organes sensoriels, parviennent à l'image qu'ils se font du monde. Il s'agit de conjuguer les apports de la psychologie, de la biologie et des autres sciences naturelles pertinentes pour reprendre et peut-être résoudre les problèmes de l'épistémologie classique en les posant de nouveau, mais cette fois dans une perspective neuve et avec des ambitions moindres : il n'est plus ici question de fonder la connaissance. C'est, on l'aura deviné, la perte, ou du moins la minoration, de cette dimension normative de l'épistémologie classique qui est le plus notable et aussi le plus contesté des aspects de cette nouvelle manière de faire de l'épistémologie.

Au même moment où ce dernier courant se développait, un profond scepticisme, confinant parfois à une sorte de pessimisme épistémologique, se développait en Occident sous le nom de post-modernisme.

RELATIVISME ET POSTMODERNISME

Pour en comprendre la teneur, supposons qu'aux catégories kantiennes (présumées décrire des propriétés universelles et permanentes de l'esprit humain) on substitue des catégories aléatoires, contingentes, issues, par exemple, de l'histoire, de certaines classes sociales, voire de groupes sociaux tout entiers.

Une telle position, qui peut être déployée de diverses manières, débouche, on le devine, sur une forme ou l'autre de relativisme épistémologique, qui n'est d'ailleurs pas sans rappeler celui que combattait Platon chez les Sophistes de son temps.

Le débat entre partisans et adversaires de ce relativisme épistémologique a été très vif durant les dernières décennies du XXe siècle, tout particulièrement en philosophie des sciences.

Mais c'est là un autre sujet...

DIX POINTS À RETENIR

1 Le système de Kant est l'idéalisme transcendantal : il dessine une sorte de moyen terme entre empirisme et rationalisme.

2 Kant distingue d'une part propositions analytiques et propositions synthétiques, d'autre part connaissances *a priori* et connaissances *a posteriori*.

3 Sa problématique peut être résumée par : « Comment des jugements synthétiques *a priori* sont-ils possibles ? »

4 Kant opère une révolution copernicienne en épistémologie : ce sont les objets de la connaissance qui se règlent sur notre capacité de connaître, et non l'inverse.

5   Kant distingue trois composantes à notre capacité de connaître : la sensibilité, l'entendement et la raison.

6   L'espace et le temps sont les formes *a priori* de la sensibilité.

7   Notre entendement connaît par concepts et Kant a dressé la table de ses catégories.

8   La raison, qui cherche l'inconditionné, outrepasse ce qu'elle peut accomplir quand elle fait de la métaphysique : Dieu, le monde dans sa totalité et l'âme ne peuvent être objets de connaissance.

9   Le pragmatisme et la naturalisation de l'épistémologie proposent des avenues pour sortir des approches traditionnelles en matière de théorie de la connaissance.

10   Un relativisme épistémologique proposant une radicale remise en question de la possibilité même de connaître a connu une certaine vogue à la fin du XXe siècle : il peut être compris comme un descendant illégitime de l'idéalisme transcendantal.

CHAPITRE 4

LA PHILOSOPHIE MORALE :
ÉTHIQUE ET MÉTAÉTHIQUE

Les mots « morale » et « moralité » sont parfois employés de manière essentiellement descriptive, c'est-à-dire pour désigner les valeurs d'une personne ou d'un groupe de personnes. « La morale spartiate faisait une grande place à l'honneur », dira-t-on par exemple.

Mais ces mots sont aussi bien souvent employés avec une connotation normative, pour déplorer ou, au contraire, pour approuver. « Il n'a pas de morale », dira-t-on ainsi d'une personne pour désapprouver un comportement ; ou encore : « Les valeurs de tel groupe à tel moment étaient profondément immorales. » Lorsqu'on les utilise en ce sens, ces mots renvoient, implicitement, à une norme en vertu de laquelle un comportement, une valeur ou une croyance sont jugés déplorables ou acceptables. C'est ce sens normatif des mots « morale » et « moralité » qui intéresse surtout les philosophes, car autour de lui se noue toute une série de difficiles questions, lourdes d'implications pratiques pour tous les aspects de la vie humaine.

Le domaine de la philosophie qui s'intéresse à ces questions est appelé la philosophie morale. Nous aborderons ici les deux grands types de réflexions qu'on y retrouve : le premier appartient à l'éthique et le second à la métaéthique.

Les théories de l'éthique tentent de systématiser la réflexion sur les valeurs et de proposer des théories visant à nous aider à décider rationnellement des comportements et des valeurs à adopter. Nous examinerons ci-après trois de ces théories éthiques, qui comptent parmi les plus influentes de l'histoire de la philosophie occidentale. Ce sont : l'utilitarisme, l'éthique déontologique kantienne et l'éthique de la vertu d'Aristote.

Mais est-il seulement possible de donner des réponses aux problèmes de la morale ? Ne sommes-nous pas plutôt ici sur un terrain où il n'y a qu'opinions, variant selon les personnes, les époques et les sociétés ? Et puis encore, n'est-ce pas Dieu qui nous dicte ce qui est bon ou mauvais, de sorte que ces éthiques des philosophes seraient inutiles ? De telles questions sont de second ordre, en ceci qu'elles prennent l'éthique elle-même comme objet. Elles appartiennent à la métaéthique. Avant d'exposer les trois théories éthiques annoncées, nous examinerons deux positions influentes en métaéthique qui, si on les acceptait, rendraient problématique, voire impossible le projet philosophique de construire une éthique. Il s'agit du relativisme éthique et du commandement divin.

LA MÉTAÉTHIQUE : LE RELATIVISME ÉTHIQUE

SE POURRAIT-IL QU'IL N'Y AIT PAS, en éthique, de normes, de valeurs que l'on pourrait défendre rationnellement parce qu'elles seraient en quelque sorte de ces mots objectifs ou universels ? C'est précisément ce que suggère le relativisme éthique, une doctrine très répandue et qui mérite un examen attentif.

Cette position fait d'abord remarquer la grande variété des codes éthiques que l'on retrouve d'une époque ou d'une culture à l'autre. Par exemple, certaines sociétés ont permis et encouragé la polygamie, tandis que d'autres l'ont jugée inacceptable. Pour recourir à des exemples extrêmes, notons que certaines sociétés ont encouragé l'infanticide, recommandé de manger les parents décédés ou encore accepté l'esclavage... Remarquer la diversité des codes éthiques, c'est faire un constat historique que personne ne contestera. Toutefois, en rester là n'est pas encore considéré comme du relativisme éthique. En effet, le relativisme éthique avance rien de moins qu'une thèse à propos de l'éthique, qui comprend les deux idées suivantes :

1. Il n'existe pas de normes ou de vérités universelles en éthique et toutes les normes éthiques sont arbitraires et relatives aux sociétés où elles sont présentes.
2. Puisque le code éthique de notre société n'est qu'un code parmi d'autres, on ne devrait pas juger les normes ni les pratiques d'une autre société, et encore moins tenter de lui imposer les nôtres.

Ces deux propositions sont logiquement distinctes, mais les partisans du relativisme éthique soutiennent habituellement les deux. Que faut-il en penser ? Comme on va le voir, cette position résiste mal à un examen sérieux.

Tout d'abord, bien qu'il soit très séduisant, le raisonnement qui passe de l'observation de la diversité de codes moraux à l'inexistence de normes ou vérités universelles en éthique est invalide, car la conclusion ne découle pas des prémisses. Pour le comprendre, pensez à la diversité des positions qui ont été (ou sont encore) défendues sur, disons, la forme de la Terre, sa situation dans l'espace, son éventuel mouvement : on ne pourrait en conclure qu'il n'y a pas de vérité en la matière. (Notez bien qu'il se pourrait qu'il n'y ait pas vérité en éthique : ce que je fais remarquer ici, c'est qu'on ne peut pas le conclure à partir du constat de la diversité des codes.)

Une deuxième difficulté du relativisme est de rendre impossible tout désaccord en éthique. Par exemple, on ne pourra pas s'opposer à la politique nazie d'extermination des Juifs dans la mesure où cette pratique était morale du point de vue du code social de l'Allemagne nazie et donc du point de vue de cette société. On sera d'ailleurs tenté de remarquer ici qu'il y avait justement des gens, dans l'Allemagne de 1936, qui s'opposaient à la politique nazie : la notion de société qu'invoquent les relativistes est donc imprécise et ne permet pas de rendre compte des désaccords et conflits éthiques non seulement entre diverses sociétés, mais aussi au sein d'une même société.

Finalement, on remarquera que la diversité des codes dont les relativistes partent n'est grande que si on reste à la surface des choses. Examinés plus attentivement, les codes éthiques semblent au contraire remarquablement convergents et leurs différences pourraient bien s'expliquer par des contextes différents.

On dira alors que manger ses parents ou les enterrer sont deux manières différentes de leur manifester son respect ; que pratiquer l'infanticide dans un contexte de vie très difficile (les Inuits) est une manière de témoigner son attachement à sa famille. Ce contextualisme, qui n'est pas le relativisme, est sans doute ce qu'il y a de vrai et qui est à préserver dans la position relativiste. C'est son premier mérite.

Le deuxième mérite du relativisme est son appel à la tolérance, qui nous met en garde contre le dogmatisme, l'ethnocentrisme et l'arrogance. Mais notons aussitôt que cette idée est logiquement distincte de la première, qui affirme que les normes éthiques sont arbitraires et relatives aux sociétés. En fait, les deux idées sont incompatibles, car en appeler à la tolérance est inconsistant pour une doctrine relativiste dans la mesure où cela revient justement à faire appel à un jugement moral qui se veut universel (la tolérance) et non relatif. Pour toutes ces raisons, la position métaéthique relativiste n'est généralement pas tenue en grande estime chez les philosophes.

LA MÉTAÉTHIQUE :
LE COMMANDEMENT DIVIN

BEAUCOUP DE GENS tirent leurs conceptions morales de la religion à laquelle ils adhèrent et décident à partir d'elle du comportement à adopter dans telle ou telle circonstance – en invoquant tel ou tel passage de la Bible, du Coran, de la Bhagavad Gita ou de la Torah. Selon ce point de vue, est bien ce que Dieu a prescrit et mal, ce qu'il a interdit. Les problèmes de l'éthique sont ainsi résolus.

LA FABLE DE L'ANNEAU DE GYGÈS

DANS *LA RÉPUBLIQUE*, Platon relate une fable qui invite, entre autres, à méditer sur les origines et la nature de la moralité. Ne sommes-nous pas moraux que pour, en somme, sauver la face devant autrui ? Qu'arriverait-il si nous pouvions impunément agir à notre guise ? Gygès était un modeste berger au service du roi qui régnait alors sur la Lydie. Un jour qu'il faisait paître ses bêtes, éclate un orage accompagné d'un tremblement de terre. Le sol s'ouvre alors sur une crevasse. La curiosité l'emportant, le berger y descend et, à sa grande surprise, y trouve un cheval de bronze creux. À l'intérieur se trouve le cadavre dénudé d'un géant qui porte une bague au doigt. Le berger s'en empare et la met à son doigt. Plus tard, il se présente au palais et se rend compte, par hasard, que lorsqu'il tourne le chaton de sa bague, il devient invisible, puis de nouveau visible après une nouvelle manipulation. Fort de cette invisibilité et de l'impunité qu'elle lui procure, notre berger, estime la personne qui conte cette histoire, devient un monstre : il séduit la reine, assassine le roi avec sa complicité et s'empare de son royaume. La moralité, suggère cette histoire, est une affaire de convention sociale où chacun trouve son compte, une affaire où entrent en considération de sordides calculs prenant en compte le risque de se faire prendre, les éventuels dommages que cela causerait à notre réputation et les profits que l'on peut espérer tirer d'une action. On suggère ainsi qu'en enlevant toute possibilité de sanction, il ne reste rien ni de la prétendue justice ni de la supposée moralité. Platon consacre les quelques centaines de pages de *La République* qui suivent à réfuter cette vision, à ses yeux entièrement fausse et inacceptable, de ce que nous sommes – ou, du moins, pouvons et devrions être.

Les adeptes de cette doctrine appelée « le commandement divin » ont du mal à concevoir qu'il puisse en être autrement et certains pensent sincèrement que la moralité serait impossible en dehors de la religion : « Sans Dieu, tout serait permis », diraient-ils volontiers, en paraphrasant Dostoïevski.

Si ces personnes ont raison, l'éthique, du moins telle que la philosophie essaie de la concevoir, est un projet vain. En effet, devant tout problème moral, il suffirait de consulter les voix autorisées pour savoir quoi penser et quoi faire. Outre le fait qu'elle présuppose que l'on croie en Dieu, cette position se heurte bien vite à de redoutables difficultés. Qu'on en juge :

- Il existe des religions différentes, qui donnent parfois des prescriptions différentes.
- Une même religion a pu, durant son histoire, soutenir des positions différentes, voire contraires sur un même sujet.
- On trouve parfois dans un même texte (la Bible, disons) des prescriptions différentes, voire opposées.
- Certaines prescriptions religieuses semblent à la plupart des gens parfaitement immorales, par exemple quand la Bible prescrit de mettre à mort les personnes qui travaillent le jour du Sabbat [1].

La doctrine du commandement divin souffre aussi d'un problème majeur et irréparable qui a d'abord été perçu par Platon dans un dialogue appelé *Euthyphron*. Socrate y soulève une question dont on peut rendre la substance comme suit : ce qui est moral l'est-il parce que Dieu le décrète arbitrairement ou est-il décrété moral par Dieu parce qu'il l'est effectivement ?

QU'EST-CE QU'UN DILEMME ?

LA QUESTION DE SOCRATE génère un dilemme appelé « dilemme d'Euthyphron ».

Contrairement à l'usage populaire, un dilemme n'est pas une indécision entre plusieurs options. À celui qui vous dit faire face à un dilemme parce qu'il hésite entre aller au cinéma avec sa copine et assister à un match de hockey avec ses amis, vous pourrez répondre qu'en philosophie, un dilemme est un raisonnement qui nous place devant une alternative dont chacune des branches conduit à la même conclusion. Pour prendre l'exemple de ce qui nous intéresse dans ce chapitre, deux explications concurrentes nous conduisent à la même conclusion, soit que la théorie du commandement divin ne tient pas la route. Son schéma logique serait : ou A ou B ; si A, non C ; et si B, non C ; donc, non C.

Supposons qu'on dise que ce qui est moral l'est parce que c'est ce que Dieu commande. Par exemple, un marchand ne vole pas ses clients parce que Dieu l'interdit. En ce cas, voler n'était d'abord ni bien ni mal en soi, et si c'est ce qu'il faut faire, c'est parce que Dieu, qui aurait pu vouloir le contraire, l'a voulu ainsi. Cette conclusion semble inacceptable, même si on est croyant. Elle fait en effet dépendre contingentement ce qui est moral des commandements arbitraires de Dieu – qui aurait bien pu commander le contraire de ce qu'il a commandé : or, nous avons du mal à penser que, disons, torturer des bébés aurait pu être bien si Dieu, arbitrairement, l'avait décidé. De plus, cet arbitraire et cette contingence des normes de la moralité sont incompatibles avec l'idée que Dieu est omniscient (il sait donc ce qui est bien) et omnibénévolent (sa bonté ne pouvant consister dans le simple accord avec ses arbitraires décisions).

Pour sauver la thèse du commandement divin, on se rabattra sur la deuxième option du dilemme, soit que Dieu désigne comme moral ce qui l'est vraiment. Ainsi, Dieu sait que voler ses clients est mal et c'est pourquoi il le condamne. Cependant, en admettant qu'il existe un standard de ce qui est bien ou mal indépendant de Dieu, on a rejeté la thèse du commandement divin pour tenter de la sauver. Pour toutes ces raisons, cette thèse est donc massivement rejetée, par les philosophes comme par les théologiens.

Nous examinerons à présent trois grandes théories éthiques qui ont été proposées par des philosophes.

QU'EST-CE QUE LA GUILLOTINE DE HUME ?

DAVID HUME (1711-1776) a écrit un court passage qui compte parmi les plus célèbres et influents de toute l'histoire de l'éthique – plus exactement de la métaéthique. Il y décrit un sophisme, selon lui courant, qui nous fait illusoirement passer de ce qui est à ce qui doit être. Voici le passage en question : « Dans chacun des systèmes de moralité que j'ai rencontrés jusqu'ici, j'ai toujours remarqué que l'auteur procède pendant un certain temps selon la manière ordinaire de raisonner, établit l'existence d'un Dieu ou fait des observations sur les affaires humaines, quand, tout à coup, j'ai la surprise de constater qu'au lieu des copules habituelles, "est" et "n'est pas", je ne rencontre pas de proposition qui ne soit liée par un "doit" ou un "ne doit pas". C'est un changement imperceptible, mais il est néanmoins de la plus grande importance. Car, puisque ce "doit" ou ce "ne doit pas" expriment une certaine relation ou affirmation nouvelle, il est nécessaire qu'elle soit soulignée et expliquée, et qu'en même temps soit donnée une raison de ce qui semble tout à fait inconcevable, à savoir, de quelle manière cette relation nouvelle peut être déduite d'autres relations qui en découlent du tout au tout. Mais comme les auteurs ne prennent habituellement pas cette précaution, je me permettrai de la recommander aux lecteurs et je suis convaincu que cette petite attention renversera tous les systèmes courants de moralité et nous fera voir que la distinction du vice et de la vertu n'est pas fondée sur les seules relations entre objets et qu'elle n'est pas perçue par la raison[2]. »

L'UTILITARISME

L'UTILITARISME EST UNE DOCTRINE très influente qui a été fondée au XVIIIe siècle par Jeremy Bentham (1748-1832). Il s'agit d'une théorie éthique conséquentialiste, c'est-à-dire qui cherche à déterminer la moralité d'un acte en examinant ses conséquences.

Pour comprendre l'idée centrale de Bentham, partons d'un problème typique. Nous sommes placés devant une situation où nous devons décider ce que nous allons faire. Un certain nombre d'options s'offrent à nous, disons trois, X, Y et Z. Selon Bentham, pour décider de ce qu'il faut faire, il suffira de disposer d'un étalon clair de ce qui est ultimement souhaitable (ou utile, en un sens spécial du mot, d'où : utilitarisme) et d'examiner les conséquences qu'auront X, Y et Z sur tous ceux qui seront affectés par la décision et qu'on prendra également en compte. On pourra alors calculer les effets qu'auront X, Y et Z. La bonne décision, celle qui est moralement bonne, sera celle qui maximise ce que notre étalon a défini comme souhaitable. Il y a eu bien des discussions entre les utilitaristes pour savoir quel est le bon étalon et comment faire le calcul. Pour Bentham, l'étalon était le plaisir (« La nature a placé l'humanité sous l'empire de deux maîtres : la peine et le plaisir. »). Pour son célèbre disciple John Stuart Mill (1806-1873), c'était le bonheur. Selon Bentham, il fallait calculer la quantité de plaisir ; pour Mill, la qualité du bonheur devait aussi être prise en compte. Mais laissons cela pour le moment, pour revenir au principe mis de l'avant. Le voici :

1. Les actions désirables sont celles qui maximisent le plaisir (ou le bonheur) et qui minimisent la peine (ou le malheur).

2. Ce sont les conséquences des actions sur ceux qui sont affectés qui permettent de décider ce qu'il

faut faire. En effet, l'utilitarisme est démocratique et accorde dans le calcul la même valeur à la même quantité de douleur ou de plaisir de l'un ou de l'autre. D'où la célèbre maxime utilitariste qu'avance Bentham : « Le plus grand bonheur du plus grand nombre. »

On ne se rend pas toujours tout de suite compte que cette proposition est révolutionnaire. Dans les faits, les utilitaristes étaient justement des réformateurs sociaux radicaux et ce qui est proposé par Bentham a bel et bien des répercussions considérables. D'abord, par ce qui est mis de côté en éthique.

Pour décider de ce qui est moral, il n'est, en effet, plus question de s'en remettre à des prescriptions immuables de la religion ou de la morale traditionnelle ; plus question, non plus, de chercher à s'approcher d'idéaux plus ou moins clairement définis (le juste, le bien, etc.) ; plus question, enfin, d'en appeler à la pureté des intentions de l'agent. L'utilitarisme fait de la morale une affaire de bonheur ici-bas.

Ensuite, l'utilitarisme apporte une promesse de rigueur, voire de rigueur scientifique, à la résolution des problèmes éthiques, économiques et sociaux. En effet, dès qu'on a convenu de l'étalon et de la manière de mesurer, tous ces problèmes seront résolus par un simple calcul.

Bentham a d'ailleurs proposé un modèle de calcul de la félicité (plaisir) qui prend en compte sept aspects du plaisir : son intensité, sa durée, sa certitude, sa proximité, sa fécondité, sa pureté, l'étendue de son action (sur les autres). Ainsi, pour décider entre deux options qui s'offrent à vous, calculez en attribuant des points aux deux options. Vous trouverez, disons, que la première est forte sur 1, 3, 4, 6, la deuxième sur 2, 5, 7. Faites le total des *hédons* (unités de plaisir) et agissez selon le résultat.

L'approche, encore une fois, est révolutionnaire. Souvent, c'est vrai, elle aboutit aux mêmes recommandations que celles de la morale traditionnelle. Mais pas toujours. Imaginez un homme malade, très souffrant, dont la mort est certaine et qui supplie qu'on mette fin à ses jours. Il est très possible que l'utilitarisme demande ici qu'on accède à sa demande : il est en effet des cas où le meurtre par compassion est ce qui augmente le bonheur du plus grand nombre.

Quand on rencontre cette idée, et qu'on a compris en quoi elle est profondément en rupture avec nos habituelles façons de penser l'éthique, c'est un exercice intéressant de l'appliquer à divers problèmes. Que dirait un utilitariste de l'avortement ? De la distribution des richesses ? Dè l'accès à l'éducation ? De la peine de mort ? Mais cette manière simple, claire et rigoureuse de concevoir l'éthique a aussi reçu sa part de critiques, que certains estiment lui être fatales. Voyons-en quelques-unes.

QU'EST CE QUE LE *FELICIFIC CALCULUS* ?

BENTHAM A COMPOSÉ le quatrain suivant pour mémoriser les critères de son *felicific calculus* (ou calcul hédonique) :

Intense, long, certain, speedy, fruitful, pure
Such marks in pleasures and in *pains* endure
Such pleasures seek in *private* by thy end
If it be *public*, wide let them *extend*.

Intense, durable, certain, rapide, fécond et pur
Sont des plaisirs et des peines [les] marques sûres
Recherche ces plaisirs dans la sphère privée
Et s'ils sont dans la sphère publique, qu'ils aient
autant d'étendue que possible.

CRITIQUES ET LIMITES DE L'UTILITARISME

UNE PREMIÈRE DIFFICULTÉ concerne ce que nous voulons maximiser. Le plaisir, disait Bentham. Mais le plaisir est-il tout ce qui compte et certains états souhaitables ne sont-ils pas supérieurs à d'autres même s'ils contiennent moins de plaisir ? On peut prendre une mesure de ces questions en se rappelant une formule célèbre de Bentham, qui assurait que « *poetry equals pushpin* », le *pushpin* étant un jeu fort simple joué alors par les gens du peuple.

Bentham a-t-il raison ? On voit le débat politique et éducationnel qui s'ouvre ici. Le seul fait qu'elles procurent du plaisir suffit-il à trancher positivement la question de la valeur de certaines activités ? Pour parler concrètement : le dernier succès pop vaut-il Bach ?

Le successeur de Bentham ne partageait pas l'avis du fondateur. Pour John Stuart Mill, il y a des hiérarchies qualitatives de plaisir – et il vaut mieux ne pas parler de plaisir, mais de bonheur. Il vaut mieux, dira-t-il, être un homme insatisfait qu'un porc satisfait, un Socrate insatisfait qu'un imbécile satisfait. Et la hiérarchie des bonheurs apparaîtra à quiconque aura fait la pleine expérience de tous ceux qu'on veut comparer et ordonner. Écoutez sincèrement Bach, dirait Mill, ainsi que la dernière ritournelle à la mode et vous conviendrez que le premier donne plus de bonheur que la deuxième. En bon utilitariste, c'est donc le bonheur, envisagé qualitativement, qu'il faut considérer et maximiser.

L'UTILITARISME ET LES ANIMAUX

L'AVEZ-VOUS PRESSENTI ? L'utilitarisme conduit à repenser fortement notre manière de traiter les animaux et il explique en partie la sensibilité contemporaine à leur endroit.

En effet, si ce qui compte, c'est la douleur et le plaisir, la question fondamentale, comme le disait Bentham, n'est pas : « peuvent-ils raisonner ? », ni « peuvent-ils parler ? », mais « peuvent-ils souffrir ? » Et puisque c'est le cas, il n'y a plus aucune raison d'exclure du champ de l'éthique des êtres qui peuvent ressentir le plaisir et la douleur.

Le chef de file actuel du végétarisme éthique et du mouvement en faveur d'un traitement éthique des animaux est le philosophe Peter Singer (né en 1946), un utilitariste. Il va même jusqu'à plaider la reconnaissance à certains animaux de droits moraux et légaux qui n'étaient jusqu'ici conférés qu'aux seuls animaux humains. Son ouvrage *Animal Liberation*, paru en 1975, est désormais un classique et a exercé une influence considérable. Notons qu'on pouvait lire sous la plume de Bentham ces mots prémonitoires : « Le jour viendra peut-être où il sera possible au reste de la création animale d'acquérir ces droits qui n'auraient jamais pu lui être refusés sinon par la main de la tyrannie. »

Même avec les précisions de John Stuart Mill, la position utilitariste reste fragile. Celle-ci affirme deux choses : que pour juger de la moralité d'une action, on doit tenir compte de ses conséquences et d'elles seules, évaluées en termes de bonheur et de lui seul. Or, des philosophes ont soutenu que chacune de ces deux positions est erronée : en d'autres termes, que la prise en compte des seules conséquences est une erreur et que la valorisation utilitariste du bonheur est également une erreur.

Il n'est en effet pas toujours clair que l'examen des seules conséquences soit possible, et une première difficulté consiste justement à déterminer ce que sont précisément les conséquences d'une action donnée. Chacun trouvera facilement des exemples de gestes qui ont des conséquences inattendues et qu'on ne pouvait prévoir. Ce genre d'argument est intéressant, puisque, à l'évidence, il est compliqué de pouvoir calculer avec certitude les conséquences de la multitude des options qui s'offrent à nous. En outre, imaginons que, dans un contexte donné, un acte X conduise à 100 hédons (unités de bonheur), un acte Y au même nombre d'hédons et que la seule chose qui les distingue est que le premier acte suppose que l'on mentira. Selon le point de vue utilitariste, les deux actes auraient la même valeur morale : ce qui est contre-intuitif et invite à penser qu'il y a autre chose que les conséquences à prendre en compte.

Pire encore, il n'est pas difficile d'imaginer des cas où le calcul utilitariste conduit à recommander un acte qui nous semble totalement immoral. En voici un. Vous êtes dans une ville sur le point d'imploser sous les violences raciales. Or, si vous permettez à la foule de pendre un homme, que vous savez être innocent, tout se calmera et vous éviterez un bain de sang. Le calcul utilitariste recommanderait de faire pendre cet homme.

L'utilitarisme peut-il survivre à ces critiques ? Pour ses défenseurs, la réponse est oui. Une stratégie habile et répandue consiste à le redéfinir. Jusqu'à maintenant, on recommandait de calculer les conséquences d'un acte particulier et de les évaluer. Selon les défenseurs de l'utilitarisme, les problèmes rencontrés viennent justement de ce que l'on n'applique la maxime utilitariste qu'à un acte à la fois. Ce qu'il faut, c'est l'appliquer à des catégories d'actes. L'utilitarisme ainsi conçu, recommande d'agir selon une règle générale qui maximise l'utilité pour la société d'un type d'actes. Pour sauvegarder l'utilitarisme, dès lors, on abandonnera donc l'utilitarisme de l'acte pour adopter un utilitarisme de la règle. Ne pas voler est ce qui, en général, maximise le plaisir du plus grand nombre, et c'est donc la règle que l'utilitarisme (de la règle) nous recommandera d'adopter. C'est sous cette forme que l'utilitarisme, dans une version ou une autre, est le plus souvent défendu de nos jours. Mais il est aussi attaqué par tous ceux qui le jugent indéfendable et qui pensent qu'il faut l'abandonner. Parmi eux, les défenseurs de l'approche déontologique que nous examinerons à présent.

KANT ET L'ÉTHIQUE DÉONTOLOGIQUE

IMAGINEZ LA SITUATION SUIVANTE. À l'hôpital où vous êtes bénévole, un vieil homme malade et sans héritier vous confie qu'il a caché un million de dollars. Il vous dit où cet argent se trouve et vous demande, à sa mort, d'en faire cadeau aux Canadiens de Montréal, son équipe de hockey préférée. Vous promettez. Il meurt aussitôt. Vous savez aussi que l'hôpital aurait besoin d'un important appareil médical qu'il ne peut s'offrir et qui coûte justement un million de dollars. Que faire ?

Un utilitariste pourrait raisonner comme suit. Cet appareil sauverait des vies et son achat aurait donc des conséquences hautement désirables. Le vieil homme, quant à lui, est mort et ne souffrira pas de cette décision. Les Canadiens n'ont pas vraiment besoin de ces sous, et le bien qu'ils feraient à l'équipe n'est rien en comparaison de celui que l'appareil procurerait aux patients. Tout bien calculé, un utilitariste vous suggérerait sans doute d'acheter l'appareil, malgré votre promesse.

Si ce raisonnement vous gêne, vous trouverez peut-être de quoi vous satisfaire du côté de ces théories éthiques dites non conséquentialistes, pour lesquelles la moralité d'un acte dépend justement d'autre chose que de ses conséquences. Parmi elles, la théorie déontologique, proposée par Emmanuel Kant (1724-1804), est la plus influente.

Kant soutiendrait que les conséquences, dans ce cas précis et dans tous les autres, n'ont rien à voir avec la moralité et que nous devons toujours tenir nos promesses. Le mot « devons » est ici le mot clé et la morale proposée par Kant est justement appelée « déontologique » (du mot grec deos qui signifie « devoir »). Cette dénomination permet de mettre le doigt sur une part importante de ce que Kant affirme : une action est morale quand elle est accomplie par devoir.

Plus exactement, une action est morale quand elle est faite avec une bonne intention et cette bonne volonté est celle qui agit par devoir conformément à des principes que notre raison peut mettre à jour.

Cela veut d'abord dire que si je donne des sous à des itinérants par pitié ou compassion, je n'agis pas moralement. Je pose peut-être un geste conforme à ce que la morale exige, mais je n'ai pas agi moralement. Pour cela, je dois agir par devoir selon la règle rationnelle. Mais laquelle ? Kant pense qu'on la trouvera en se demandant si une action est conforme à ce qu'il appelle l'impératif catégorique. Il est crucial de bien comprendre ce qu'il veut dire par là.

Certaines choses sont admises comme des devoirs, si l'on désire certaines autres choses. Par exemple, si je veux devenir médecin, alors je dois étudier. Kant appelle un tel impératif « hypothétique » puisqu'il a la forme : si... alors.

Kant pense cependant que la morale est affaire de devoirs non pas hypothétiques, mais catégoriques, et qui sont inconditionnels. Comment les connaître ? Comment savoir ce à quoi ils obligent ? Kant répond que, placé devant telle ou telle situation, on déterminera ce qu'est ce devoir (moral et catégorique) en faisant passer aux actions possibles le test de l'impératif catégorique. En voici une formulation : « Agis selon la maxime qui peut en même temps se transformer en loi universelle. » C'est-à-dire, demande-toi si on pourrait vouloir universaliser le principe selon lequel tu vas agir. Si oui, c'est ce que tu dois faire. Kant, en fait, retrouve ici quelque chose qui ressemble à la vieille règle d'or de la moralité, soit « Ne fais pas aux autres ce que tu ne voudrais pas qu'ils te fassent. »

Revenons à notre vieux monsieur. Peut-on vouloir que les gens fassent des promesses qu'ils ont l'intention de ne pas respecter ? Kant soutient que l'admettre est contradictoire et que l'institution même de promettre serait abolie par ce choix. Nous voici devant un devoir moral : on doit tenir ses promesses, le faire parce qu'on doit le faire et pas pour être bien vu dans son milieu ou parce que ça nous sert dans telles circonstances. Notez aussi que ce résultat a été obtenu par la raison. En effet, pour Kant, nous sommes des êtres rationnels pour qui la moralité est affaire, non pas de désirs, de bonheur ou de conséquences, mais de rationalité. Cette règle (tenir ses promesses) ne souffre aucune exception et est universelle.

On aura compris qu'il n'est pas toujours facile de vivre en conformité avec ces principes et que la morale kantienne est bien stricte et austère : on la dit même pour cela rigoriste. Kant a, il est vrai, donné diverses formulations de son impératif catégorique et l'une d'elles humanise un peu cette austère doctrine. La voici : « Agis de façon telle que tu traites l'humanité, aussi bien dans ta personne que dans tout autre, toujours en même temps comme fin, et jamais simplement comme moyen. »

Cette pensée s'inscrit dans les idéaux du Siècle des Lumières, ce siècle dont Kant avait donné la formule : « Aie le courage de te servir de ton entendement. » Elle se veut donc rationnelle, on l'a vu, et, surtout, fondée sur l'idée d'autonomie, en ce sens qu'elle reconnaît que nous sommes capables de nous donner nos propres lois.

Le système de Kant a néanmoins fait l'objet de fortes attaques. Voici trois critiques particulièrement redoutables qui lui ont été adressées.

CRITIQUES ET LIMITES

UNE PREMIÈRE OBJECTION est que le refus obstiné de prendre en compte les conséquences d'un acte pour juger de sa valeur morale conduit à des conclusions qui semblent aberrantes et profondément contre-intuitives. On le verra avec l'exemple suivant.

Imaginez que vous êtes tranquillement assis chez vous un soir lorsqu'on sonne à la porte. Vous ouvrez. C'est un inconnu terrifié qui se tient devant vous. Il vous dit son nom et vous informe qu'il est poursuivi par des gens qui veulent le tuer et vous implore de le cacher. Vous le laissez entrer et le mettez à l'abri dans une pièce fermée. On sonne de nouveau à la porte. Vous allez ouvrir. Cette fois, ce sont manifestement ses poursuivants qui se tiennent devant vous. L'un d'eux vous demande si l'homme en question est chez vous. Que devez-vous faire ? La réponse kantienne est que l'obligation de ne pas mentir étant un impératif catégorique qui ne souffre pas d'exception, vous devez répondre « oui ».

Ce cas imaginaire a justement été soulevé contre le système de Kant. Dans le débat qui s'est alors engagé, Kant a notoirement maintenu son point de vue en arguant, par exemple, qu'on devrait répondre « oui », mais refuser de laisser entrer les poursuivants dans la maison. Kant explique que si l'on répond « non », les poursuivants reprendront leur route et trouveront peut-être l'étranger, qui aurait pu entre-temps s'échapper par la fenêtre, dans la ruelle, et qu'il mourra donc à cause de votre mensonge !

Cependant, il paraît difficile de ne pas concéder que le sens commun, dans ce cas comme dans bien d'autres similaires, ferait une place aux conséquences d'un acte pour évaluer ce qu'il convient de faire.

La situation hypothétique que nous venons d'évoquer permet d'introduire une deuxième critique à l'endroit de la morale kantienne : elle serait finalement vide.

Préoccupé seulement de la forme ou de la structure de la moralité, le système de Kant nous laisserait tomber dès qu'il s'agit d'en préciser le contenu, notamment de décider entre deux avenues d'action également acceptables dans ce système, mais incompatibles. Précisons cela. « On ne doit jamais mentir » a été invoqué plus haut pour refuser de répondre « non » à la question du poursuivant. Mais il aurait été possible, semble-t-il, d'invoquer la maxime « On ne doit jamais laisser faire de mal à un être humain présumé innocent », pour justifier de répondre « non ». Bref, l'idée qu'il y a des règles morales absolues semble conduire à ne plus savoir quoi faire en pratique, lorsque certaines de ces règles entrent, ou du moins semblent entrer, en conflit l'une avec l'autre.

On a également reproché à Kant, et ce sera notre troisième et dernière critique, son hyper-rationalisme froid, qui confinerait la moralité aux strictes bornes de la raison, sans faire de place ni à la personnalité ni aux émotions.

Or, des émotions comme la compassion, la pitié et la sympathie ont bel et bien une place à jouer à la fois dans la moralité et dans la formation d'une personne qui agit moralement. Après tout, si je donne des sous à un mendiant, il se peut certes que ce soit par devoir, mais il se peut aussi que mon geste soit motivé par une certaine compassion. Bien des gens maintiendraient non seulement que ce sentiment peut parfaitement inciter à agir moralement, mais aussi que la capacité à ressentir cette compassion est un élément central et incontournable de la formation d'une personne morale.

Si on accepte cela, on pourra être séduit par les éthiques de la vertu ou éthiques arététiques.

L'ÉTHIQUE DE LA VERTU SELON ARISTOTE

LES DÉFENSEURS de la troisième et dernière grande tradition classique en philosophie morale, l'éthique de la vertu, soutiennent que la réponse au problème moral se situe dans certaines caractéristiques de celui qui agit, soit dans sa personnalité ou encore dans son caractère. Cette position a reçu une formulation exemplaire par Aristote (384-322 av. J.-C.) dans un ouvrage titré *Éthique à Nicomaque*.

Le plus simple est sans doute de commencer par expliquer ce concept d'*eudaimonia* qu'emploie Aristote. Par ce mot, souvent maladroitement traduit par bonheur, Aristote désigne la finalité, le but, de la vie humaine. Quel est ce but ? Aristote envisage divers candidats : le plaisir, la richesse, la gloire, etc. Chacun de ces biens, dit-il, est poursuivi parce qu'il permet d'en acquérir ou d'en viser un autre. L'argent, par exemple, procure des biens matériels, qui procurent des plaisirs, qui procurent... et ainsi de suite. Aristote pense qu'il y a une fin à tout cela, une fin que nous voulons tous et pour elle-même. C'est ce qu'il appelle *eudaimonia*, ce qu'on pourrait traduire par une vie accomplie, une vie où est réalisé au plus haut point de perfection ce que nous sommes, nous, les êtres humains, et ce pour quoi nous sommes spécifiquement faits.

Aristote pense que cette *eudaimonia* est une certaine activité de l'âme en accord avec une vertu. Aristote, en fait, va employer ici le mot *aretê*, un mot qui est souvent traduit par vertu, mais qui serait mieux rendu par « excellence ». Cette vertu peut être celle d'un objet, d'un animal ou d'un être humain et elle est l'excellence dans l'accomplissement de sa fonction propre. Prenez un couteau : sa vertu ultime est de bien couper. Dans le cas d'un cheval de course, la sienne est de courir vite. Dès l'époque d'Aristote, les Grecs pensaient la morale en termes de vertus, les questions étant alors de savoir : ce qu'elles sont, si on peut les acquérir et, si oui, comment.

Aristote distingue deux catégories de vertus. Les vertus intellectuelles, d'abord, qui correspondent à la partie rationnelle de notre âme. Aristote soutient ainsi que le point le plus élevé de la vie bonne s'atteindra par le développement de ces vertus que sont notamment l'intelligence, la sagesse et la prudence. Ces vertus intellectuelles s'apprennent par l'éducation.

Nous ne sommes toutefois pas seulement rationnels et Aristote discerne aussi une part irrationnelle en nous. L'un des grands mérites de son éthique est de réfléchir à ces vertus qu'il nomme « morales » et qui sont des traits de caractère qui correspondent à notre composante irrationnelle. Ces vertus morales sont indispensables pour vivre une vie accomplie. Il mentionne parmi ces vertus la justice, la tempérance, le courage et bien d'autres encore. Ce qu'il dit à leur sujet mérite qu'on s'y arrête. Je ferai quatre observations.

Pour commencer, ces vertus de caractère se développent d'abord en nous par l'habitude. Aristote écrit : « [Ces vertus] nous les acquérons d'abord par l'exercice, comme il arrive également dans les arts et les métiers. Ce que nous devons exécuter après une étude préalable, nous l'apprenons par la pratique ; par exemple, c'est en bâtissant que l'on devient architecte, en jouant de la cithare que l'on devient citharède. De même, c'est à force de pratiquer la justice, la tempérance et le courage que nous devenons justes, tempérants et courageux [3]. »

Contre l'intellectualisme froid de certaines théories morales, Aristote insiste donc sur le rôle de la pratique et des émotions dans la moralisation. Selon lui, c'est modestement, par le petit sentier de l'habitude, qu'on atteint le palais de la morale. Ensuite, parce que la part irrationnelle de l'âme est en partie docile à la raison, ces actes deviendront plus assumés et réfléchis.

Ma deuxième observation est que, selon Aristote, il faut, pour devenir vertueux, y mettre du temps. De la même manière qu'une hirondelle ne fait pas le printemps (cette expression est d'ailleurs de lui), on ne devient pas courageux par un seul acte courageux et ce n'est qu'avec du temps que ces vertus de caractère s'installent en nous et finissent par devenir comme des « secondes natures ».

Ma troisième observation concerne quelque chose qui contribue à rendre cette théorie fort séduisante à de nombreuses personnes. Aristote pense en effet que la morale est une affaire humaine, où pèse le lourd poids des circonstances. Il en conclut qu'on ne devrait pas chercher à y arriver à une précision semblable à celle qu'on peut obtenir en sciences ou en mathématiques. La morale, insiste-t-il, est affaire de jugement prudent, non de règles absolues et fixes.

Finalement, Aristote pense qu'on peut tout de même donner des repères pour aider à cerner les vertus et les pratiquer. Sa grande idée est que les vertus sont, en tant que traits de caractère, un juste milieu entre un excès et un manque. On peut alors, avec Aristote, dresser des listes de trios comprenant d'abord un trait de caractère trop peu marqué ; ensuite, la vertu elle-même ; enfin, le trait de caractère, mais cette fois excessivement marqué. On aurait ainsi, par exemple, « lâcheté, courage et témérité », « insensibilité, tempérance et débauche », « avarice, générosité et prodigalité », etc.

Rappelons une fois encore que bien des facteurs, dont les circonstances, entrent en jeu dans la détermination de ce juste milieu, qui n'est donc pas une banale moyenne obtenue mécaniquement. Aussi, ne faudrait-il pas non plus interpréter ce juste milieu comme un simple appel à la modération : devant une personne violemment agressée, l'acte courageux n'est pas l'acte modéré, mais une action décidée et agressive.

Ceci posé, on peut comprendre ce qu'Aristote écrit de ces vertus : « [Elles sont] donc une disposition acquise volontaire, consistant par rapport à nous, dans la mesure, définie par la raison conformément à la conduite d'un homme réfléchi. Elle tient la juste moyenne entre deux extrémités fâcheuses, l'une par excès, l'autre par défaut. » Cette manière d'envisager la morale a indiscutablement de très grands mérites, qui expliquent en partie le vif regain d'intérêt qu'elle suscite aujourd'hui ; mais elle a aussi des défauts que certains jugent irréparables. Rappelons-les.

CRITIQUES ET LIMITES

UNE PREMIÈRE DIFFICULTÉ tient au danger d'ethnocentrisme et de relativisme que certains pensent inhérent et fatal aux approches arététiques comme celle d'Aristote. En effet, il semble bien que les vertus prônées ici soient différentes de celles qui sont prônées là et, parfois même, contradictoires avec ces dernières.

À Sparte, on vantait le courage guerrier et, ailleurs, la non-violence ; ici, la polygamie, là, le célibat... Faut-il trancher ? Et comment justifier autrement que par le hasard de la naissance l'adhésion à un ensemble donné de vertus et leur promotion ? Et, si c'est le cas, ne nous trouvons-nous pas devant une forme inacceptable d'ethnocentrisme ? En défendant telle liste de vertus, différente de telle autre, n'est-on pas simplement en train d'exprimer nos préjugés quant à ce qui est socialement acceptable (et que nous appelons des vertus) et ce qui est socialement inacceptable (et que nous appelons des vices) ?

On aura deviné que les défenseurs des éthiques de la vertu vont ici rétorquer que ces différences et contradictions sont plus apparentes que réelles et soutenir que, si on fait abstraction de certaines données contextuelles, historiques ou sociologiques, il y a une très forte convergence des vertus humaines, justement parce qu'elles reflètent la nature humaine. Les éthiques de la vertu conduisent ainsi à la naturalisation de l'éthique, si centrale dans les réflexions contemporaines.

Une autre critique majeure est la suivante. Les partisans des vertus ont fait valoir que les morales utilitaristes et déontologiques, avec leur insistance sur la règle à suivre pour adopter une conduite dans une situation donnée, négligeaient déplorablement le caractère du sujet qui agit, ses motivations, sa formation, et ont donc insisté sur les vertus et le caractère. Fort bien. Mais ne reste-t-il pas vrai que bien des dilemmes moraux concernent précisément la question de savoir quoi faire et comment agir, et que les vertus ne sont parfois guère utiles pour le déterminer ?

Prenons ce jeune homme qui va voir Jean-Paul Sartre en 1940 à Paris et qui hésite entre participer

à la résistance clandestine et rester auprès de sa
mère, qui a besoin de lui. Que lui dit-on ? Qu'on
lui dise « Sois courageux », « Sois bon » ou encore
« Fais ce qu'un être vertueux ferait » ne lui sera pas
d'un grand secours ! Et c'est sans compter les cas
où deux vertus entrent en conflit : votre ami est
coupable d'un crime et votre vertu d'amitié incite à
le protéger, mais votre vertu de justice vous incite à
le dénoncer !

Les théoriciens de la vertu pourront répondre
que ces dilemmes sont bien réels, y compris pour
toutes les autres théories éthiques. Ils ajouteront en
outre que la référence à des êtres particulièrement
vertueux, admirables ou héroïques peut aider à
les résoudre. Je vous laisse juger de ces réponses.
Mais, pour plusieurs, la conclusion de ces critiques
est qu'invoquer les vertus est, dans bien des cas,
vain et qu'en insistant exclusivement sur elles, les
éthiques arététiques se révèlent irrémédiablement
incomplètes et, souvent, inconsistantes.

POUR NE PAS CONCLURE

LE DOMAINE DE L'ÉTHIQUE RESTE, bien entendu,
très vivant aujourd'hui. À ces approches classiques,
qui sont toujours influentes, se sont ajoutées
d'autres voies. Entre autres, mentionnons celles
des féministes et des partisans d'une forme ou
l'autre de naturalisation de l'éthique inspirée du
darwinisme, sans oublier tous ces éclairages que la
science empirique apporte désormais sur certaines

des questions que les philosophes n'ont jamais cessé de soulever.

De plus, les sciences elles-mêmes, les nouvelles technologies et toutes ces avenues qu'elles ont ouvertes, par exemple en médecine et en biologie, de même que les graves enjeux économiques, environnementaux et politiques qui se posent aujourd'hui à l'humanité confèrent un indéniable caractère d'urgence aux questions éthiques. Le domaine désormais florissant de l'éthique pratique, comme son nom l'indique, apporte justement les fruits de l'éthique et de la métaéthique à la prise de décision impliquée dans d'innombrables dilemmes moraux rencontrés dans la pratique.

DIX POINTS À RETENIR

1   La philosophie morale comprend
l'éthique et la métaéthique.

2   Certaines positions métaéthiques,
comme le relativisme éthique ou le
commandement divin, si on les adopte,
rendent impossible de constituer, par
l'entremise de la philosophie et de la
raison, une éthique. Cependant, le fait
qu'elles sont confuses et conduisent à des
contradictions explique qu'elles ne soient
généralement pas adoptées.

3   L'utilitarisme cherche dans les
conséquences d'une action le critère de
sa moralité : on devrait rationnellement
chercher à maximiser le plaisir
(Bentham) ou le bonheur (Mill).

4   Des difficultés inhérentes à l'utilitarisme
dit de l'acte ont amené à le redéfinir en
utilitarisme dit de la règle.

5   Kant a développé un système moral
déontologique : la morale s'exprime
en des impératifs catégoriques
rationnellement découverts par le test
d'universalisation.

6   On a notamment contesté ce système pour son formalisme, pour son refus de considérer les conséquences des actes posés et pour son indifférence à autre chose qu'à la conformité au devoir.

7   Pour les éthiques arététiques, la moralité est affaire de vertu. Aristote distinguait des vertus morales et des vertus intellectuelles, et prônait la recherche d'un juste milieu.

8   On a accusé ces éthiques d'être relativistes et de n'être d'aucun secours devant bien des dilemmes moraux, ou de donner, selon les vertus considérées, des recommandations d'action divergentes, voire opposées.

9   Le féminisme et divers efforts de naturalisme de l'éthique sont des courants de pensée aujourd'hui influents en éthique.

10   Les développements de la science et de la technologie, les graves enjeux économiques et sociaux auxquels nous faisons collectivement face rendent plus indispensable que jamais le type de réflexion et d'analyse qui se poursuit au sein de la philosophie morale.

CHAPITRE 5

LA PHILOSOPHIE DE L'ESPRIT : DU DUALISME AU BÉHAVIORISME

Nous entrons à présent dans le vaste territoire de la philosophie de l'esprit. Même si les questions soulevées ici sont anciennes, c'est surtout au sein de la tradition philosophique anglo-saxonne que les travaux récents en ce domaine se poursuivent. Ils comptent parmi les plus passionnants qui soient, aussi bien en science qu'en philosophie.

La tâche est titanesque et ici, sans doute plus que n'importe où ailleurs en philosophie, les problèmes abordés sont difficiles et immensément subtils. Comme nous le verrons, certains, et non des moindres, pensent que nous ne pourrons entièrement les résoudre.

Ne vous en faites donc surtout pas si, en lisant ce chapitre, vous n'apercevez pas entièrement et du premier coup tous les enjeux. Et souvenez-vous bien que ce chapitre et le suivant ne font qu'effleurer un domaine immense.

LE DUALISME ET SES DIFFICULTÉS

Tout d'abord, revenons à Descartes, qui fournit la matrice à partir de laquelle la plupart des problèmes de la philosophie de l'esprit vont ensuite être formulés, généralement pour s'opposer à ce qu'il avait mis de l'avant.

On se rappellera la démarche suivie par ce philosophe. Cherchant une certitude première et indubitable, Descartes pratique un scepticisme radical et méthodique qui le conduit à remettre en doute le monde extérieur, son propre corps et même les vérités mathématiques. Au terme de cette ascétique épreuve, Descartes découvre cependant la vérité indubitable qu'il recherchait : il s'agit du Cogito, par quoi il se découvre comme âme ou chose pensante. Celui-ci est le garant de sa propre existence comme être pensant et, par sa clarté et son évidence, le modèle auquel devra ensuite se conformer toute proposition pour être reconnue comme vraie.

Descartes fait alors remarquer que cette âme (on dirait aujourd'hui, en langage courant, son esprit, sa conscience, ou encore son psychisme) ainsi découverte est distincte du corps. Et, à l'évidence, celle-ci est même plus aisée à connaître que le corps puisqu'il a pu se rendre compte de son existence d'abord et sans pouvoir en douter. Descartes pose donc que le monde est composé de deux substances[1] : d'un côté, la matière ou le corps, dont la nature est l'extension, c'est-à-dire l'étendue; de l'autre, cette autre substance que me dévoile le Cogito, qui est une « chose qui doute, qui conçoit, qui affirme, qui nie, qui veut, qui ne veut pas, qui imagine aussi et qui sent[2] ».

Nous n'entrerons pas dans une exégèse fine de ce que défend Descartes. Mais il est clair que le dualisme qu'il avance a très fortement pénétré notre culture, au point où une forme ou l'autre de dualisme y constitue la philosophie de l'esprit spontanée de la plupart d'entre nous.

Le philosophe contemporain Patrick Grim (1950) formule comme suit ce dualisme spontané, chacune des cinq propositions qu'il présente étant présumée être admise comme allant de soi par la plupart des gens n'ayant jamais beaucoup réfléchi à ces questions :

1. Chacun de nous possède un corps et un esprit.
2. Normalement, le corps et l'esprit coexistent, du moins jusqu'à la mort du corps, après quoi il est difficile de dire ce qu'il advient.
3. Notre corps est un objet physique, occupant un espace. Il est publiquement observable et est connu par les sens.

COMMENT LA LOI DE LEIBNIZ ET LE PRINCIPE DE L'IDENTITÉ DES INDISCERNABLES FOURNISSENT-ILS UN ARGUMENT EN FAVEUR DU DUALISME ?

ON DOIT CES DEUX IDÉES, qui définissent ce qu'est l'identité, au mathématicien et philosophe G.W. Leibniz (1646-1716).

La première affirme que si A est identique à B, alors toute propriété que possède A est aussi une propriété que possède B. Cela semble plus que plausible, car si « Paul McCartney » (A) est identique à « le bassiste des Beatles » (B), alors la propriété « être gaucher » est possédée par Paul McCartney et par le bassiste des Beatles. La deuxième idée affirme que si A et B sont en tout point indiscernables, ils sont le seul et même objet. Autrement dit, si A et B sont nés au même moment, sont tous deux le bassiste des Beatles, et ainsi de suite pour toutes leurs propriétés, alors A est B. D'où, si A possède une propriété que B ne possède pas, A n'est pas B. Or, on l'a vu, il existe bien, selon les dualistes, des propriétés que possèdent le corps et pas l'esprit et inversement. Par exemple, mon corps, ainsi que tous les corps physiques, occupe un espace et obéit aux lois physiques usuelles. Mes idées, cependant, ne sont pas soumises aux mêmes règles. Les corps, dont le mien, sont publiquement observables, mais pas mon esprit. Je peux aussi me tromper à propos d'un objet du monde, mais pas à propos de mes idées. Et je peux même douter que j'ai un corps, mais absolument pas que j'ai un esprit. Ainsi, pensent les dualistes, l'esprit ne peut être identique au corps ni le cerveau à la pensée, et il existe bien, dans le monde, outre le corps ou la matière, une deuxième substance.

4. Notre vie mentale, celle de notre esprit, est au contraire privée. La saveur qu'a pour nous tel aliment est une chose subjective, que nous connaissons et qui n'est pas publiquement observable.

5. Chacun de nous, enfin, a un accès privilégié à ses propres états mentaux, qui lui sont connus d'une manière certaine. C'est ainsi que je sais, avec une certitude à laquelle aucune autre personne ne peut prétendre égaler, si j'ai ou non mal à la tête ou un picotement à l'oreille droite, par exemple.

Ces idées, qui expriment bien la conception préphilosophique et spontanée de l'esprit qu'ont la majorité des gens au sein de notre culture, se heurtent pourtant à des difficultés immenses. Elles sont d'ailleurs jugées entièrement irrecevables par bien des philosophes et des scientifiques. Bon nombre de leurs arguments tournent autour de ce qu'on appelle le problème de l'interaction. Voyons cela.

LE PROBLÈME DE L'INTERACTION

CONCÉDONS AUX DUALISTES qu'il existe deux substances. Concédons aussi que l'une peut exister sans l'autre. Mais dès lors, ce qui pose encore et toujours problème, c'est que ces deux substances

puissent exister l'une avec l'autre, ou plus précisément interagir, c'est-à-dire agir l'une sur l'autre. Car
cela semble bien le cas et nous pouvons observer
que des états dits physiques causent des états dits
mentaux et inversement : je me cogne le doigt avec
un marteau et j'ai mal ; cette douleur me fait penser
à mettre mon doigt sous l'eau froide et je cours à la
salle de bain. La vie courante fournit d'innombrables
exemples de ce qu'un dualiste décrira comme
l'action du corps sur l'esprit et de l'esprit sur le corps.
Comment cela est-il possible ? Est-ce seulement
concevable ? Comment, pour nous en tenir à cela,
quelque chose qui n'occupe aucun espace et n'obéit à
aucune des lois physiques peut-il néanmoins agir sur
quelque chose qui occupe un espace et obéit aux lois
physiques ? Et inversement, bien entendu : comment
est-il possible que la matière, avec les propriétés que
lui reconnaissent les dualistes, agisse sur l'esprit tel
qu'ils le conçoivent ?

L'ensemble des difficultés qui se nouent ici est
appelé « le problème de l'interaction ». Aussitôt
que le dualisme a été proposé par Descartes,
ces difficultés ont été identifiées, et elles ont
immédiatement été reconnues pour ce qu'elles sont,
c'est-à-dire redoutables.

L'une des premières personnes à les mettre en
évidence est une femme remarquable, la princesse
Élisabeth de Bohême (1618-1680), avec qui
Descartes correspondait. Elle lui écrivait : « [Je
vous prie de me dire] comment l'âme de l'homme
peut déterminer les esprits du corps, pour faire
les actions volontaires (n'étant qu'une substance

pensante). Car il semble que toute détermination du mouvement se fait par la pulsion de la chose mue, à manière dont elle est poussée par celle qui la meut, ou bien de la qualification et figure de la superficie de cette dernière. L'attouchement est requis aux deux premières conditions, et l'extension à la troisième. Vous excluez entièrement celle-ci de la notion que vous avez de l'âme, et celui-là me paraît incompatible avec une chose immatérielle [3]. »

PETIT LEXIQUE DE LA PHILOSOPHIE DE L'ESPRIT

Substance : Ce qui existe essentiellement et qui subsiste sous les modifications ; du latin *substare*, qui signifie « se tenir sous ».

Dualisme : Position qui soutient l'existence dans un domaine donné de deux, et seulement deux, éléments premiers. En philosophie de l'esprit, cette position affirme soit qu'il existe deux substances irréductibles, c'est-à-dire le corps et l'esprit (c'est le dualisme des substances), soit, plus subtilement, qu'il existe deux types de propriétés (ce dualisme étant compatible avec le monisme). Bien des difficultés du dualisme s'y répercutent cependant.

Épiphénoménalisme : Le dualisme imagine une causalité bidirectionnelle, du mental au physique et inversement. L'épiphénoménalisme peut être vu comme une première, quoique timide, tentative pour sortir du dualisme. Il soutient que la relation causale ne va que de la matière à l'esprit, qui n'est qu'un épiphénomène. L'esprit est vu ici comme l'indicateur de vitesse sur une voiture. La vitesse fait monter ou descendre l'aiguille de l'odomètre, mais l'outil de mesure ne cause pas la vitesse et celle-ci existerait sans lui.

DUALISME PARALLÉLISTE : Les problèmes de l'interaction peuvent être résolus et le dualisme être préservé si on accepte que les deux substances n'interagissent pas réellement. Certes, elles paraissent le faire, mais, en fait, elles fonctionnent en parallèle. Une version de cette idée, due à Leibniz, est appelée l'harmonie préétablie. Je me cogne le doigt et, parallèlement, j'ai mal, mais le coup n'est pas la cause du mal. Pas plus que la bande sonore d'un film n'est la cause des images qui défilent ; son et images, comme corps et douleur, sont simplement coordonnés en parallèle, selon une harmonie préétablie, bien évidemment par Dieu. L'occasionnalisme de Malebranche (1638-1715), similaire par son intention, fait plutôt intervenir Dieu à chaque occasion.

HOMUNCULUS : Du latin, signifiant « petit homme ». Il est tentant de penser que les opérations mentales comme voir, imaginer et penser sont, en fait, réalisées à l'intérieur de notre tête par un mécanisme. Comme on le voit parfois dans les bandes dessinées, ce mécanisme serait représenté par un petit homme. Mais celui-ci devrait, pour accomplir ce qu'il accomplit, être lui-même habité par un petit homme, et ainsi de suite. L'hypothèse de l'homunculus est donc stérile puisqu'elle explique ce qui devait être expliqué par ce qui doit être expliqué.

MONISME : Position de qui soutient qu'il existe en réalité dans un domaine donné un élément premier, et un seul. En philosophie de l'esprit, cette position affirme soit que cette substance est matérielle (c'est le matérialisme), soit qu'elle est mentale ou spirituelle (c'est l'idéalisme).

IDÉALISME : Position qui soutient que la pensée est la réalité première.

MATÉRIALISME : En philosophie de l'esprit comme ailleurs, cette position soutient que la matière est la réalité première.

QUALE (pluriel *qualia*) : Les composantes de l'expérience subjective consciente que l'on connaît en voyant, en imaginant, en ressentant, etc. Par exemple, ce que l'on ressent en croquant dans un citron est un ensemble de *qualia*.

Descartes ne put jamais lui répondre de manière satisfaisante et il en vint, pour sauver son dualisme, à adopter une bien improbable théorie. Selon lui, le « siège de l'âme » est la glande pinéale, dont la fonction est de sécréter de la mélatonine. C'est à travers elle que corps et esprit interagiraient. Mais encore une fois : comment est-ce possible ? Comment l'âme, immatérielle, peut-elle être localisée en un lieu donné ? Pourquoi le siège de l'âme se trouve-t-il là et non ailleurs ? Mystère. En quoi, enfin, le problème de l'interaction est-il résolu par cette hasardeuse hypothèse ? Mystère encore. Et Descartes ne semble pas avoir avancé d'autre argument en faveur de sa théorie que le fait que cette glande serait la seule de la tête à ne pas être « conjuguée », c'est-à-dire double.

Pourtant, les dualistes ultérieurs ne feront guère mieux et, de l'avis général, les hypothèses qu'ils avanceront pour solutionner le problème de l'interaction ne feront qu'ajouter encore à la confusion. Ces théories s'appellent l'occasionalisme, l'harmonie préétablie ou l'épiphénoménalisme.

Cependant, ces graves problèmes disparaîtraient, par définition, si, au lieu de deux substances, il n'en existait qu'une seule. Un tel point de vue s'appelle le monisme, du grec *monos*, qui signifie « un seul ».

Deux possibilités se présentent alors : cette substance est mentale ou elle est matérielle. La première possibilité est celle des idéalistes, et l'évêque Berkeley, on l'a vu, l'a défendue. Mais elle ne recueille guère de suffrages, surtout de nos jours où la science et ses succès sont généralement tenus pour faire pencher la balance en faveur du matérialisme.

La première école de pensée majeure qui a suggéré une approche matérialiste de l'esprit, le béhaviorisme, est apparue au XXe siècle. C'est vers cette approche que nous nous tournons à présent. Historiquement, deux voies convergentes y ont conduit. La première est la voie scientifique et méthodologique ; la deuxième est la voie philosophique et conceptuelle. Nous allons explorer chacune de ces deux voies.

LA VOIE SCIENTIFIQUE ET MÉTHODOLOGIQUE VERS LE BÉHAVIORISME

LE DUALISME CARTÉSIEN conduit tout naturellement à l'idée d'une psychologie entendue comme l'étude de l'intériorité de la conscience. Une telle psychologie aura recours à une méthode propre, celle de l'introspection. Par elle, il s'agira de faire en quelque sorte un retour sur soi et, par une forme d'attention à soi, de décrire, pour les connaître et les faire connaître, les divers états mentaux qui constituent notre vie psychique. « En psychologie, l'observation n'est que recueillement », écrira Maine de Biran (1766-1824) en résumant ce point de vue. Et, de fait, il se pratiquera longtemps une telle psychologie introspective.

Pourtant, on se rend vite compte qu'elle est insatisfaisante. Pour commencer, elle réduit la psychologie aux humains qui peuvent plus ou moins correctement parler et à leur pensée consciente. Ceci met d'extraordinaires limites au champ d'investigation de la psychologie, qui ne peut dès lors étudier, par exemple, les jeunes enfants (puisqu'ils ne parlent pas encore ou que leur langage est trop minimal), les aphasiques, les animaux, la pensée préconsciente ou inconsciente et mille autres sujets.

De plus, le dédoublement présupposé est problématique, car pour étudier la colère, devrais-je à la fois être en colère et m'observer lucidement et objectivement l'être ? N'est-ce pas là, comme le dira joliment Auguste Comte, « vouloir être à la fenêtre et se regarder passer dans la rue » ?

LA VOIE PHILOSOPHIQUE VERS LE BÉHAVIORISME : LE SCARABÉE DE WITTGENSTEIN

En philosophie aussi, durant ce temps, le dualisme cartésien était contesté. Une histoire de scarabée, imaginée par Wittgenstein dans son dernier ouvrage, *Investigations philosophiques*, va dans ce sens et est devenue célèbre en philosophie de l'esprit. C'est en partie par certaines des analyses que ce livre contient, et que résume cette histoire de scarabée, que le béhaviorisme a fait son entrée en philosophie.

Wittgenstein s'en prend justement à l'idée que notre vie mentale serait quelque chose d'absolument privé et dont autrui serait nécessairement exclu. Ma douleur, par exemple, posséderait une dimension absolument subjective, à laquelle moi seul aurais accès ; en ce sens, elle serait privée. De sorte que, lorsque je parle de ma douleur au ventre, je réfère à tel ou tel aspect, privé, de cette douleur, que j'identifie « mentalement ». Toujours en gardant en tête l'exemple de ma douleur au ventre, le mot « douleur », lui aussi, aurait un sens « privé », acquis dans le cadre de ce que Wittgenstein nomme un langage privé, lequel attache pour moi des mots à des manifestations mentales. C'est à cette représentation, à la fois de la vie mentale et de la fixation de la signification des mots décrivant des états mentaux, que Wittgenstein s'attaque, en niant qu'un tel langage privé soit simplement concevable. Notons cependant que la nature exacte de l'argument et sa validité n'ont cessé d'être débattues. C'est dans le cours de cet argumentaire que Wittgenstein introduit ce fameux scarabée en imaginant que chacun de nous possède une boîte contenant quelque chose que nous appelons un « scarabée ». Personne ne peut regarder dans la boîte d'aucun autre, chacun disant qu'il ne sait ce qu'est un scarabée que pour avoir regardé le sien propre. « Or, il se pourrait fort bien que chacun ait quelque chose de différent dans sa boîte. On pourrait même imaginer un genre de chose susceptible de changer constamment. Mais à supposer que le mot "scarabée" ait tout de même un sens usuel dans le langage de ces personnes, il ne servirait pas alors à désigner une chose. La chose dans la boîte n'appartient d'aucune manière au jeu de langage ; pas même comme un quelque chose : car la boîte pourrait aussi bien être vide[9]. »

Cette étrange mais influente histoire à l'interprétation problématique a souvent été tenue pour inviter à remettre en cause la possibilité d'un langage privé et la possibilité de fixer le sens de mots en référant à un monde intérieur : elle ouvrait de la sorte la porte à une analyse du sens des mots reposant sur des critères publiquement observables et, par là, au béhaviorisme philosophique.

LE BÉHAVIORISME

C'EST EN RÉACTION à la psychologie introspective qu'apparaît le béhaviorisme, un courant fondé en 1913 par B.F. Watson (1878-1958). Le mot est créé à partir de l'anglais *behaviour*, qui signifie « comportement ». Le béhavioriste, en bon empiriste, suggère précisément que nous devrions nous en tenir à ce qui est publiquement observable. Il se concentre donc sur les comportements, plutôt que sur ce mystérieux et inobservable esprit, qui lui paraît n'être qu'un reliquat du vocabulaire préscientifique et religieux, au même titre que les fantômes, les sorcières, les démons ou les spectres.

Le béhaviorisme ouvre de la sorte la psychologie à l'étude de tous ces objets qui lui étaient interdits. Il aura une longue et, à certains égards, fructueuse histoire dans cette discipline. Cette dernière intéressera aussi les philosophes, qui vont y voir une manière de traiter du problème de l'esprit. Ces philosophes vont développer un béhaviorisme qu'on appelle « logique » ou « analytique », pour le distinguer du béhaviorisme « méthodologique » des psychologues.

Pour comprendre ce que disent ces philosophes, prenons une proposition contenant un terme mental, disons la peur, comme dans : « Jean a peur des chiens. » Le béhavioriste analytique pense que cela peut entièrement être traduit, ou bien en comportements observables, ou bien en dispositions à se comporter de telle ou telle manière. « Jean a peur des chiens » voudra donc dire, entre autres, que Jean tremble et que son cœur bat plus vite s'il aperçoit un chien ; qu'il s'enfuit quand il en croise un ; sans oublier, bien entendu, que Jean, qui ne fait rien de tout cela en ce moment, se comportera ainsi si un chien apparaît.

Parler de la peur ne revient donc plus à parler de mystérieux états mentaux intérieurs qui ne seraient accessibles qu'au seul sujet qui ressentirait cette émotion : c'est simplement parler de comportements publiquement observables ou de dispositions à avoir ces comportements.

DES CRITIQUES ADRESSÉES AU BÉHAVIORISME

Pourtant, placés devant de telles analyses, bien des gens rétorquent aussitôt en mettant en avant leurs sensations subjectives, leurs états mentaux, leurs désirs, croyances et intentions. Toutes ces *qualia* leur semblent indéniables et ces gens concluent qu'il est vain et ridicule de vouloir parler, disons, d'amour, en niant leur existence.

La difficulté est réelle et si le béhavioriste veut nier l'existence de tout cela, il lui faudra une sorte d'improbable anesthésie de la subjectivité. Mais le béhavioriste peut aussi, sans en nier l'existence même, nier que ces états mentaux aient quelque rôle que ce soit à jouer dans la définition des termes supposés mentaux.

Il y a pire, cependant, pour le béhavioriste : car on a vite fait d'imaginer d'innombrables situations où des états mentaux supposés ne correspondent à aucun comportement. Par exemple, rêver au père Noël ne se traduit par aucune action particulière. De la même manière, un comportement ne correspond pas forcément à un état mental donné, car ce dernier peut être feint. J'aime regrouper ces derniers cas sous la catégorie de « l'argument du romancier ». C'est que les romanciers construisent justement souvent leurs histoires de telle manière que le comportement d'un personnage donné nous incite à lui attribuer telle ou telle caractéristique qu'en fait il n'a pas et qu'il feignait. Par exemple, X, censé travailler pour telle agence dans tel pays, est en fait un espion qui travaille pour tel autre pays. Le béhavioriste, qui se contente d'observer des comportements, a bien du mal à distinguer les deux cas.

L'ATTAQUE DES ZOMBIES !

LES ZOMBIES DONT IL EST QUESTION ICI ne sont pas ceux que nous connaissons par les films d'horreur : ce sont des zombies philosophiques. Et ils fournissent un argument contre le béhaviorisme philosophique. Le béhaviorisme affirme que ce que nous appelons « état mental » est soit un comportement, soit une disposition à se comporter de telle ou telle manière. Il expliquera cette position en disant que le prédicat « amoureux » est comme le prédicat « soluble ». Une personne est amoureuse si elle se comporte de telle manière ou le ferait dans les bonnes circonstances ; de la même manière, un morceau de sucre est soluble s'il se dissout quand on le met dans l'eau, ou se dissoudrait si on l'y mettait. Un morceau de sucre soluble qui ne se dissout pas dans l'eau est une impossibilité logique.

Pensez-vous qu'il soit logiquement possible qu'il existe des zombies qui aient toutes les manifestations extérieures qu'on attribue normalement aux humains, mais qui soient néanmoins dépourvus de la vie intérieure et des *qualia* qui les accompagnent ? Ce zombie pourra être une machine, un extraterrestre, un humain amputé d'une partie du cerveau, peu importe. Le voici au cinéma, regardant un film... de zombies ! Il ferme les yeux devant telle scène, se recroqueville sur son siège, hurle et ainsi de suite, mais il ne ressent rien des frissons que vous et moi connaissons. La simple possibilité conceptuelle que de tels êtres existent, si elle est accordée, montrerait, conclut l'argument, que le béhaviorisme philosophique est faux. En effet, s'ils étaient vrais, les zombies devraient être aussi inconcevables qu'un cube de sucre soluble qui ne se dissout pas.

De plus, pour que sa thèse soit crédible, le béhavioriste doit fournir une description en termes comportementaux des concepts mentaux. Or, il est improbable qu'il puisse en fournir une liste exhaustive, tant sont nombreux les facteurs qui peuvent les faire varier à l'infini. Pour ne donner qu'un exemple – et vous en imaginerez d'innombrables autres –, la peur des chiens de Jean, qu'il veut combattre, pourrait l'amener à rechercher leur présence.

Pire encore : le béhavioriste lui-même a recours – et il semble ne pouvoir s'en passer – à des concepts mentaux pour expliquer sa position, par exemple en nous suggérant de penser que l'état mental « être amoureux » est identique à diverses manifestations comportementales qu'on est conviés à imaginer !

Tous ces arguments, et quelques autres encore qu'on peut négliger ici, expliquent pourquoi le béhaviorisme, qui a connu son heure de gloire, a amorcé son déclin à la fin des années 1950.

À compter de cette date, ce sont les théories de l'identité « cerveau-esprit » qui vont occuper le devant de la scène, et apparaître à beaucoup de philosophes et de scientifiques comme la voie la plus prometteuse pour comprendre l'esprit.

QUE SONT LES ERREURS DE CATÉGORIES ?

Pourquoi parlons-nous si volontiers d'états mentaux et d'esprit ? Que ses analyses soient justes ou non, le béhavioriste nous doit à ce propos une explication.

Le philosophe Gilbert Ryle (1900-1976) a suggéré que ce qu'il a appelé le mythe cartésien du « fantôme dans la machine » provient, en partie du moins, de ce qu'il appelle une « erreur de catégorie ». On commet une telle erreur quand on range sous une certaine catégorie un phénomène qui appartient à une autre catégorie. Un exemple proposé par Ryle dans le premier chapitre de son essai *The Concept of Mind* est resté célèbre. Imaginons un étudiant qui visite l'Université d'Oxford. On lui montre alors les bureaux de l'administration, les bibliothèques, les salles de cours, les terrains de sport, les bâtiments où se trouvent les divers départements. À la fin de la visite, l'étudiant demande : « Mais où est l'université ? »

Cet étudiant commet une erreur de catégorie en pensant à l'université comme devant être un bâtiment, plutôt que de comprendre qu'elle n'est que la réunion en un tout organisé de tout ce qu'il a déjà vu. Son erreur consiste à ne pas comprendre que l'université n'est pas un bâtiment parmi ceux qui lui ont été montrés, mais relève d'une autre catégorie, plus générale, à savoir celle d'institution.

DIX POINTS À RETENIR

1 Le dualisme cartésien pose que le monde est composé de deux substances distinctes, le corps et l'esprit.

2 Outre le Cogito, la loi de Leibniz et le principe de l'identité des indiscernables sont avancés en faveur de ce dualisme.

3   L'interaction de ces deux substances
     pose de redoutables difficultés que
     quelques théories, parfois étranges,
     ont tenté de surmonter.

4   Le monisme propose une alternative au
     dualisme qui résout ces problèmes en
     posant l'existence d'une seule substance.

5   Les limites méthodologiques et
     scientifiques d'une psychologie
     introspective ont conduit à l'adoption
     d'un tel monisme en psychologie :
     le béhaviorisme.

6   Certains philosophes, inspirés
     notamment par Wittgenstein, sont
     parvenus à des conclusions similaires et
     ont défendu un béhaviorisme analytique.

7   Selon eux, il faut analyser les termes
     mentaux en comportements ou en
     dispositions à se comporter.

8   Gilbert Ryle a suggéré que c'est en
     commettant une erreur de catégorie
     que nous en venons à utiliser des termes
     mentaux.

9   L'évidence subjective des états
     mentaux, les difficultés à déterminer
     les comportements correspondant
     à tel état mental et le fait que le
     béhavioriste lui-même semble avoir
     recours à des termes mentaux ont,
     entre autres, contribué au déclin du
     béhaviorisme.

10   Le béhaviorisme a commencé à cesser
     d'être dominant et même influent en
     psychologie et en philosophie à compter
     de la fin des années 1950.

CHAPITRE 6

LA PHILOSOPHIE DE L'ESPRIT : DES THÉORIES DE L'IDENTITÉ AUX MYSTÉRIENS

NOUS REPRENONS NOTRE ÉTUDE de la philosophie de l'esprit avec les théories de l'identité.

LA THÉORIE DE L'IDENTITÉ CERVEAU-ESPRIT

ISSUE INDIRECTEMENT du dualisme des propriétés que Spinoza (1632-1677) mettait de l'avant, la théorie de l'identité a été formulée dans les années 1950. Elle se présente alors volontiers comme matérialiste et se veut associée à une vision scientifique du monde. En 1959, l'un de ses promoteurs,

J.J.C. Smart (1920-2012), écrivait justement : « Il me semble que la science nous autorise de plus en plus à envisager les organismes comme des mécanismes psychochimiques et il semble bien que les comportements de l'être humain pourront un jour être expliqués en termes mécanistes. Du point de vue scientifique, il ne semble y avoir dans le monde rien d'autre que des arrangements de plus en plus complexes de composants physiques. Cela est vrai partout sauf pour la conscience. [...] Les sensations, les états de conscience semblent être la seule chose qui échappe à la vision physicaliste du monde : pour diverses raisons, je ne peux croire que ce soit le cas [1]. »

Si on refuse au béhavioriste que l'esprit ou le mental n'existe pas, et si on refuse également au dualiste qu'il soit une autre substance, non matérielle, le mental ne pourrait-il pas être quelque chose de physique ? On le chercherait alors dans le corps et plus précisément, comme la science nous y invite, dans le cerveau et dans le système nerveux central. En ce sens, les états mentaux doivent être, disons-le ainsi pour faire court, des états et des processus neurophysiologiques du cerveau.

La thèse avancée est théorique et conceptuelle et ses promoteurs reconnaissent volontiers que les états neurophysiologiques en question nous sont aujourd'hui inconnus. Mais la science, pense-t-on, les découvrira un jour, ou du moins peut en théorie les découvrir. À ce moment-là, au lieu de dire, comme aujourd'hui « J'ai mal aux dents », nous pourrions dire « Les cellules XZQ de la région P 36 de mon cerveau émettent des molécules de tel type à telle fréquence et en telle quantité. »

Les avantages de cette position sont manifestes, du moins à première vue. Elle semble cohérente avec la science, et l'encourage d'ailleurs à poursuivre ses travaux. De même, elle est matérialiste et, éliminant le dualisme, elle résout le terrible problème de l'interaction. Mieux encore : le type de réduction qu'elle vise paraît avoir déjà été réalisé à maintes reprises dans l'histoire des sciences. Ainsi, « l'eau », même si nous employons encore ce mot en langage courant, est du « H_2O » ; et un éclair est une sorte de décharge électrique.

Les critiques n'ont pourtant pas manqué et elles ont mis à mal l'optimisme initial. La critique sans doute la plus forte adressée à cette séduisante théorie est construite à partir de l'analyse de l'identité censée exister entre état mental et état du cerveau. Dire que ces derniers sont identiques, c'est en effet établir entre eux une identité appelée « de type à type ». Par exemple, à tel type d'état mental correspond tel type d'état du cerveau. Mais cela est-il plausible ? Faut-il que votre mal de ventre corresponde au même état de mon cerveau quand j'ai moi aussi mal au ventre ? N'est-il pas évident que chez certaines personnes, différents états du cerveau peuvent générer des états mentaux identiques ?

Cet argument suggère aussitôt que rien n'interdit de penser que des systèmes nerveux et des cerveaux bien différents des nôtres puissent, eux aussi, être identiques à des états, disons, de douleur. Une pieuvre, on a toutes les raisons de le penser, peut souffrir, et des êtres constitués d'autre chose que du carbone sont concevables et pourraient, pourquoi pas, eux aussi ressentir de la douleur. Les états mentaux peuvent donc être réalisés de différentes manières, et penser le contraire, dira joliment le philosophe Ned Block, serait faire montre d'un extraordinaire « chauvinisme neurologique » (cet argument est appelé « l'argument de la réalisabilité multiple »).

Quelque chose, qui semble de nature conceptuelle, cloche, et nous devons revenir à la table de travail pour réfléchir à la nature de l'identité présumée entre cerveau et états mentaux.

Allons directement au plus simple. L'identité dont il est question, dira-t-on bientôt, ne doit plus être conçue très strictement et de type à type, mais occasionnelle et, de manière moins contraignante, d'instance particulière à instance particulière. Cette façon de concevoir l'identité évite les problèmes soulevés.

Mais nous ne sommes pas encore au bout de nos peines. Car une question au moins demeure. Supposons que votre expérience de la douleur soit un certain état de votre cerveau et que la mienne en soit un autre : en quoi toutes deux sont-elles des instances du même type ? La position théorique dominante en philosophie de l'esprit et dans les sciences cognitives est née en partie de la réponse qu'elle donne à cette difficile question.

LE FONCTIONNALISME

Supposons que je vous dise avoir inventé un objet que j'appelle un schpountz. Laissez-moi vous le présenter. Il est circulaire, a deux centimètres de diamètre et un centimètre de hauteur. Sa tranche est perforée de minuscules trous. On peut discrètement le déposer sur le plancher d'une pièce, par exemple sous un meuble. À l'intérieur d'un schpountz, on trouve des récepteurs sensoriels qui détectent la présence de souris. Quand c'est le cas – et seulement quand c'est le cas – et que l'animal se trouve à moins de 12 cm, le schpountz émet, par ses trous et en direction de la souris, un jet d'une substance qui l'endort aussitôt, et cela pour une douzaine d'heures au moins. On n'a alors plus qu'à la ramasser et à la mettre dehors. Le schpountz est inoffensif pour les humains ou pour leurs animaux domestiques.

LA DISTINCTION TYPE/OCCURRENCE

Cette distinction, on l'a vu, a été importante dans la discussion et la révision de la théorie de l'identité. Une manière simple de la saisir est de se demander combien il y a de mots dans la phrase : « Le vélo est dans le garage. » Si on entend « mot » au sens de type, alors il y en a 5, « le » étant répété deux fois. Mais si on entend « mot » au sens d'occurrence, il y en a 6. Les anglophones parlent pour leur part de

« types » et de « tokens ». Cette distinction est due
à C. S. Peirce (1839-1914). Ma question est : quel
genre d'objet est un schpountz ?

Je soupçonne que vous direz qu'il s'agit d'une
trappe à souris (singulière, sans doute, mais une
trappe à souris tout de même). Et c'est bien entendu
le cas. Mais qu'est-ce qui en fait une trappe à souris ?
Ce n'est pas la matière dont elle est faite, car les
trappes à souris peuvent être en bois, en plastique, en
métal, etc. Ce n'est pas non plus la manière précise
dont elle fonctionne. En effet, certaines trappes à
souris emprisonnent l'animal, d'autres les tuent à
l'aide d'un morceau de métal, la mienne l'endort
avec un gaz. Alors ?

La réponse est qu'une trappe à souris est définie
par la fonction qu'elle accomplit et par des relations
que, pour ce faire, elle entretient avec certaines
circonstances (présence de souris), certains états
internes (des ressorts, des senseurs, par exemple) et
des conséquences (la souris est capturée ou tuée).
Tout ce qui accomplit ces fonctions est une trappe
à souris, et la définition que nous en avons donnée
est fonctionnelle.

C'est pour l'essentiel ce qu'avance le fonctionnalisme, qui est probablement, ou du moins
a longtemps été, la position dominante en philosophie de l'esprit. Il est éclairant de penser au
fonctionnalisme, qui reconnaît des relations entre
états mentaux et comportements et qui accorde
que les états mentaux sont liés au cerveau, comme
préservant ce qu'il y avait de plus intéressant et
de plus plausible dans le béhaviorisme et dans les

théories de l'identité, mais sans tomber dans leurs pires travers.

Autre avantage : le fonctionnalisme, s'il est généralement aussi matérialiste, peut fort bien se déployer comme une position qui pourrait sans mal s'accommoder du dualisme des substances.

À tous ces immenses avantages du fonctionnalisme, s'en ajoute un autre encore, qui contribua à son succès. Celui-ci, en effet, puisqu'il assume la multiplicité des manières de réaliser des états mentaux, s'inséra tout naturellement dans les sciences cognitives, où il devint, là aussi, le point de vue dominant.

QUE SONT LES SCIENCES COGNITIVES ?

ON EN PARLE BEAUCOUP et elles inspirent, notamment avec les thèses sur l'intelligence artificielle, bien des cinéastes et bien des romanciers : mais que sont-elles exactement ?

On peut situer la naissance des sciences cognitives le 11 septembre 1956. Ce jour-là se tenait en effet, au Massachusetts Institute of Technology, à Boston, une réunion de spécialistes sur la théorie de l'information à laquelle participaient notamment George A. Miller (1920-2012), Noam Chomsky (1928) et Herbert Simon (1916-2001). Le premier y expose ses conclusions désormais classiques sur la mémoire de travail et le « nombre magique » sept, plus ou moins deux. Le deuxième y présente ses idées sur la linguistique générative et la grammaire formelle, qui vont révolutionner la discipline. Enfin, le dernier défend le projet de simulation par ordinateur des processus cognitifs, qui est le fondement de l'ambitieux et influent programme de recherche en intelligence artificielle. Près de 50 ans plus tard, Miller racontera : « J'ai quitté ce symposium avec la conviction, plus intuitive que rationnelle, que la psychologie humaine expérimentale, la linguistique théorique ainsi que la simulation par ordinateur des processus cognitifs étaient les composantes d'un ensemble plus vaste et que l'avenir permettrait d'assister à l'élaboration et à la coordination progressives de leurs communs intérêts[2]. »

Aujourd'hui, c'est couramment par le schéma suivant qu'on représente les différentes composantes disciplinaires des sciences cognitives et leurs interactions :

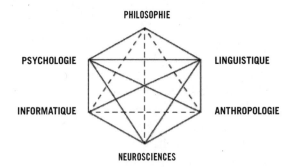

Vous l'aurez certainement deviné : dans les sciences cognitives, c'est l'ordinateur qui sera le candidat privilégié pour réaliser des états mentaux à l'aide d'un autre matériau que les neurones. Cette idée, en fait, est même antérieure aux sciences cognitives et elle avait été émise, comme on le verra à présent, par l'un de leurs précurseurs, le remarquable Alan Turing (1912-1954).

QUI ÉTAIT ALAN TURING ?

CE PERSONNAGE GÉNIAL est aussi une figure tragique : il s'est suicidé après que les tribunaux lui ont imposé un traitement chimique destiné à guérir son homosexualité et qui lui avait fait... pousser des seins. Alan Turing a été l'un des plus profonds et fascinants génies du XXᵉ siècle. Ses travaux sont notamment à l'origine de l'ordinateur, dont il a formulé le modèle théorique dès 1936 : il n'avait alors que 24 ans ! On appelle depuis ce modèle une machine de Turing.

Le travail qu'il a accompli durant la Seconde Guerre mondiale a longtemps été tenu secret. Celui-ci a en effet été capital pour le déchiffrement des codes secrets d'Enigma, la machine à encryptage prétendue inviolable utilisée par les nazis afin de communiquer entre eux. Il est vraisemblable que Turing et ses collaborateurs ont par là considérablement raccourci la durée de la guerre. Turing s'est donné la mort en croquant dans une pomme trempée dans le cyanure, comme la sorcière dans *Blanche Neige et les sept nains* (1937), un film qu'il adorait. La compagnie Apple nie que son logo, une pomme entamée, soit un hommage à Turing, mais cette hypothèse conserve des défenseurs.

Une machine peut-elle, au moins en principe, et comme l'analyse fonctionnaliste le laisse croire, penser ? La question est très abstraite et difficile à traiter. Mais en 1950, Turing a proposé un petit jeu, qui porte depuis son nom : le « Test de Turing[3] ». Il devrait nous permettre de décider si une machine donnée pense ou non.

On pourrait réaliser ce test avec trois participants, chacun étant isolé dans une pièce. Il y a un questionneur, une autre personne et une machine. Le questionneur pose des questions aux deux autres participants, disons par l'intermédiaire d'un clavier. Les réponses lui parviennent écrites sur un écran. Le test de Turing dit que si le questionneur est incapable de distinguer la machine de la personne, la machine a passé le test et l'on pourrait alors dire qu'elle « pense ».

Turing imaginait le dialogue suivant :

QUESTION : Écrivez, je vous prie, un sonnet sur le Pont Forth.
RÉPONSE : Je passe. Je n'ai jamais pu écrire de poésie.
QUESTION : Ajoutez 34957 à 70764.
RÉPONSE : (après une pause d'environ 30 secondes) : 105621.
QUESTION : Jouez-vous aux échecs ?
RÉPONSE : Oui.
QUESTION : J'ai mon roi en K8 et aucune autre pièce. Vous avez seulement votre roi en K6 et une tour en R1. C'est à vous de jouer, que jouez-vous ?

RÉPONSE : (après une pause de 15 secondes) :
T-T8 : mat.

Nous sommes encore bien loin de pouvoir fabriquer un ordinateur qui passerait le test de Turing. Quoiqu'il en soit, c'est de là qu'est apparu un argument intéressant, qui porte à la fois contre les prétentions les plus radicales de certains théoriciens de l'intelligence artificielle qui croyaient qu'une machine qui pense était possible et serait bientôt réalisée, et contre la théorie fonctionnaliste. Cet argument est appelé « La chambre chinoise ». On le doit au philosophe John Searle (1932)[4].

LA CHAMBRE CHINOISE

SEARLE NOUS DEMANDE d'imaginer une personne enfermée dans une pièce hermétiquement close, à l'exception d'une fente pratiquée dans l'un des murs. Cette pièce est la chambre chinoise.

Par la fente, de l'extérieur, sont introduits des bouts de papier couverts de signes qui sont incompréhensibles pour la personne se trouvant dans la pièce. Quand elle en reçoit un, cette personne consulte un immense registre dans lequel elle repère les signes se trouvant sur la feuille ; y correspondent d'autres signes, qu'elle recopie sur une nouvelle feuille de papier, qu'elle envoie, toujours par la fente, à l'extérieur de la chambre chinoise.

Pourquoi cette chambre est-elle dite « chinoise » ? C'est que les signes reçus et envoyés sont en chinois, une langue qu'ignore totalement la personne dans la chambre. Mais, à l'extérieur, une personne parlant cette langue a posé une question en chinois et a reçu, après un délai plus ou moins long, une réponse pleinement satisfaisante. La personne extérieure pourrait donc croire que la chambre, ou quoi que ce soit qui s'y trouve ou la constitue, parle chinois. Et pourtant non, comme on vient de le voir.

Vous aurez compris la signification de cette analogie. La personne dans la pièce représente l'unité centrale de l'ordinateur, les instructions qu'elle consulte dans le registre représentent le programme, les bouts de papier qui entrent et sortent sont respectivement les inputs et les outputs. La chambre chinoise fait exactement ce que ferait un ordinateur programmé pour parler chinois, et elle le fait comme lui.

Ce que Searle a voulu rappeler ici, c'est que l'ordinateur manipule simplement des symboles sans les comprendre. C'est pour cette raison qu'il ne pourra jamais être « une machine qui pense ». Pour le dire autrement, un ordinateur n'a qu'une syntaxe, c'est-à-dire des règles permettant de manipuler des symboles, plus précisément des séquences de 1 et de 0, mais il n'a pas de sémantique ou d'intentionnalité.

Arrêtons ici notre survol des théories philosophiques de l'esprit. Pour l'heure, aucune n'ayant fait l'unanimité, les travaux de recherche et les réflexions se poursuivent, et la philosophie de l'esprit, tout comme les sciences cognitives, ont ouvert de vastes perspectives. Celles-ci sont riches et prometteuses, mais d'aucuns soutiennent qu'il y a de sérieuses limites à ce qu'on peut en attendre.

LES MYSTÉRIENS

Il y a en effet des chercheurs et des philosophes qui pensent que certaines des difficultés que nous rencontrons ici sont insurmontables et insolubles. Ces positions, diverses, peuvent être appelées « mystériennes », suivant une distinction suggérée par le linguiste Noam Chomsky, selon qui, il existe des problèmes que nous pouvons résoudre et des mystères que nous ne pourrons résoudre, en raison de limitations de nos capacités cognitives. Parmi les mystériens célèbres, outre Chomsky, on notera le polymathe américain Martin Gardner (1914-2010) et le philosophe Colin McGinn (1950).

D'autres parviennent à une position mystérienne en distinguant, à la suite de David Chalmers (1966), ce qu'ils appellent le « problème facile » et le « problème difficile » de la conscience.

Le problème facile, si l'on ose dire, serait d'expliquer comment nous pouvons accomplir les fonctions mentales que nous accomplissons couramment (par exemple, nous rappeler une information, percevoir, être attentif, etc.) par des mécanismes qui les sous-tendent et les produisent. Le problème difficile serait de rendre compte de nos expériences subjectives : comment et pourquoi dans un monde physique apparaissent nos *qualia* et toute cette dimension subjective de notre expérience.

Terminons ce chapitre sur deux célèbres expériences de pensée qui peuvent donner du crédit à cette position mystérienne.

On doit la première à Thomas Nagel (1937), qui nous demande : « Comment se sent-on quand on est une chauve-souris ? » Tel était en effet le titre étrange d'un désormais célèbre article que Nagel publia en 1974.

LA SUBJECTIVITÉ DES CHAUVES-SOURIS

LES RÉDUCTIONNISTES, on l'a vu, soutiennent que leur projet concernant l'esprit et la conscience est non seulement plausible, mais qu'il a déjà été réalisé dans les sciences. C'est ainsi, disent-ils, comme on l'a vu, que nous savons que ce que nous appelons eau dans la vie courante est en fait réductible à ce que les chimistes appellent H_2O. Mais est-ce bien le cas, et la comparaison est-elle légitime ?

Ramener l'eau à sa composition chimique, c'est accéder à un point de vue objectif en s'éloignant pour cela de toute perspective subjective sur l'eau. Mais dans le cas de l'esprit, le fait de ne pouvoir appréhender cette perspective subjective ne rend-il pas radicalement incomplète la description physicaliste ? C'est ce que Nagel veut mettre en évidence, en rappelant à quel point sont insatisfaisantes et incomplètes les analyses de l'esprit, de la vie mentale et de la conscience menées selon une perspective réductionniste.

En effet, de telles analyses, aussi complètes soient-elles, ne sauraient nous dire exactement ce que cela fait d'être ceci ou cela, d'être une chauve-souris, pour prendre son exemple. Pas plus qu'elles ne diraient ce qu'est de ressentir subjectivement telle ou telle expérience. Pour cela, il faudrait soi-même être cette chose, en l'occurrence une chauve-souris. L'exemple est particulièrement bien choisi, étant donné qu'en vertu de leur écholocation, les chauves-souris possèdent un mode de perception qui nous est entièrement étranger.

En tentant de répondre à la question qu'il pose, Nagel écrit que « notre propre expérience fournit la matière de base à notre imagination, dont la portée est donc limitée. Cela ne nous sera pas d'un grand secours que d'imaginer que l'on a des sangles sur un bras, ce qui nous permet de voler du crépuscule à l'aube en attrapant les insectes avec la bouche ; d'imaginer que l'on a une très mauvaise vision et que l'on perçoit le monde environnant par un système de signaux sonores à haute fréquence qui sont réfléchis – et que l'on passe ensuite sa journée dans un grenier suspendu par les pattes, la tête en bas. Dans la mesure où je suis en mesure d'imaginer tout ceci (et c'est fort peu), cela me dit seulement ce que ce serait pour moi de me comporter comme se comporte une chauve-souris. Mais ce n'est pas la question qui est posée : je veux savoir ce que cela fait à une chauve-souris d'être une chauve-souris. Si j'essaie de l'imaginer, je suis limité par les ressources de mon propre esprit et elles sont insuffisantes pour une telle tâche [5] ».

Pour clore ce chapitre, je citerai une dernière expérience de pensée qui vous rendra peut-être, ou peut-être pas, plus réceptif à la position mystérienne.
Mary et les couleurs

Frank Jackson a publié en 1986 un texte intitulé « Ce que Mary ignorait[6] ». Il nous demande d'imaginer une femme, Mary. Elle est, pour une raison ou une autre, confinée depuis sa naissance dans un univers en noir et blanc. Tout ce qu'a toujours vu Mary est donc ou noir ou blanc, ou composé de nuances de noir et de blanc.

Mary a malgré tout poursuivi de longues études dans des livres et sur des écrans, tous sans couleur, bien entendu ! Elle est ainsi devenue une neurophysiologue, plus précisément : la plus grande spécialiste au monde de la perception des couleurs. Mary n'ignore rien de tout ce qu'il y a à savoir à ce sujet, et elle sait absolument tout des mécanismes physiologiques, physiques et chimiques impliqués dans la perception des couleurs par les êtres humains.

Un jour, Mary peut sortir de l'environnement incolore dans lequel elle a été confinée, et elle voit pour la première fois des couleurs. Selon Jackson, Mary vient d'apprendre à propos de la perception des couleurs quelque chose qu'elle ignorait. Elle vient d'apprendre ce que cela fait de les percevoir. Selon lui, il s'ensuit qu'il y a bien quelque chose qu'une théorie physicaliste et réductionniste ne saisit pas et, même, ne peut saisir, dans la mesure où Mary est présumée savoir tout ce que l'on peut savoir de la perception de couleurs.

DIX POINTS À RETENIR

1   La théorie de l'identité est un monisme matérialiste qui suggère que les états mentaux sont des états et processus du cerveau.

2   On lui a objecté qu'une identité de type à type n'est pas plausible ainsi que l'argument de la réalisabilité multiple.

3   La distinction type/occurrence permet de comprendre comment il est plausible de penser autrement l'identité.

4   Le fonctionnalisme propose une définition fonctionnelle des états mentaux, sur le modèle de la définition par sa fonction que l'on peut donner d'une trappe à souris.

5   Position extrêmement influente, le fonctionnalisme combine les avantages du béhaviorisme et de la théorie de l'identité, mais sans leurs défauts.

6   Cette position est influente non seulement en philosophie, mais aussi dans les sciences cognitives.

7   On doit à Alan Turing le modèle théorique de l'ordinateur et le fameux test qui porte son nom.

8   La chambre chinoise est un argument de John Searle formulé à la fois contre les ambitions les plus grandes de l'intelligence artificielle et contre le fonctionnalisme.

9   La position mystérienne veut que la solution au difficile problème de la conscience ainsi que la nature des états mentaux nous échapperont toujours.

10   « Ce que cela fait d'être une chauve-souris » et « Ce qu'ignorait Mary » pointent certaines de ces grandes difficultés en raison desquelles il est plausible d'adopter une position mystérienne.

CHAPITRE 7

LA PHILOSOPHIE DE LA RELIGION

LA RELIGION OCCUPE UNE PLACE très importante dans la vie de bien des gens et elle a occupé, et occupe encore parfois, une telle place au sein de nombreuses sociétés. La philosophie de la religion tente de comprendre la signification de cette part de l'expérience humaine et s'interroge sur sa valeur.

Les questions qui y sont discutées sont vastes et divisent souvent profondément les gens. Ici comme ailleurs, la philosophie maintient son idéal de rationalité et de pensée claire.

Nous commencerons en nous demandant ce que recouvrent précisément les idées de Dieu et de religion.

DIEU ? RELIGION ?

On raconte qu'à un journaliste qui lui demandait s'il croyait en Dieu, Albert Einstein aurait répondu : « Définissez d'abord ce que vous entendez par Dieu et je vous dirai si j'y crois. » Qu'elle soit vraie ou fausse, cette anecdote a le mérite de nous rappeler l'importance de préciser en quel sens nous parlons de Dieu ou de religion.

Le mot religion vient du latin *religio*, lui-même tiré de *religare* (relier) ou de *religere* (rassembler). On confond parfois religion et croyance en Dieu. Mais il faut savoir qu'il existe une religion sans dieu, le bouddhisme – du moins, selon certaines de ses versions. Par ailleurs, certaines personnes identifient d'une manière ou d'une autre le monde et Dieu. D'autres croient en un dieu unique et personnel connu par Révélation, tandis que certains, qui n'adhèrent pas à la Révélation, croient néanmoins en Dieu. Il est encore des personnes qui croient en l'existence de nombreux dieux. On trouve également des gens qui ne croient pas en dieu et d'autres qui estiment impossible de décider s'il existe ou non.

PETIT LEXIQUE DE PHILOSOPHIE
DE LA RELIGION

THÉISME ET MONOTHÉISME : Le théisme est la position de qui affirme l'existence d'un Dieu créateur de l'univers et transcendant, c'est-à-dire extérieur au monde et distinct de lui, mais cependant agissant sur lui. Du grec *theos*, qui signifie « dieu ». Le monothéisme insiste sur le fait que ce dieu est unique et personnel, et connu par la Révélation. Le judaïsme, le christianisme et l'islam sont les trois grandes religions monothéistes. Du grec mono, « un seul».

PANTHÉISME : C'est la position de qui soutient que Dieu est immanent au monde plutôt que transcendant, tout ce qui existe étant des manifestations ou attributs de la divinité. Du grec pan, « tout ». *Deus sive Natura* (Dieu ou la nature) est une célèbre expression de Baruch Spinoza (1632-1677) qui résume la position panthéiste.

POLYTHÉISME : Par opposition au monothéisme, c'est la croyance en plusieurs dieux, typiquement hiérarchisés. Du grec *polu*, « nombreux ».

DÉISME : C'est la position de qui admet l'existence d'un Dieu cause du monde, mais rejette les dogmes et le contenu des religions positives, qui se prétendent, faussement pense-t-il, comme des Révélations. Du latin deus, « dieu ».

AGNOSTICISME : Position de qui nie qu'il soit possible de savoir si Dieu existe ou non, voire de le connaître. Du grec *a*, qui a un sens privatif, et *gnôsis* qui signifie « connaissance ».

ATHÉISME : C'est la position de qui est sans croyance en Dieu (c'est l'athéisme négatif) ou qui nie l'existence de Dieu ou de dieux (c'est l'athéisme positif). Du grec *a*, au sens privatif, et *theos*, « dieu ».

Dans ce chapitre, nous nous intéressons essentiellement aux religions monothéistes et au Dieu dont elles proclament l'existence. Ce Dieu est défini par certaines caractéristiques précises, dont certaines sont formulées avec des mots commençant par le préfixe omni, qui provient du latin, et qui signifie « tout » ou « entièrement ».

C'est ainsi que, pour les grandes religions monothéistes, Dieu est typiquement défini comme étant[1] :

- Unique (il n'y a qu'un seul Dieu).
- Omnipotent, c'est-à-dire tout-puissant, et tel qu'il n'y a aucune limite à ce qu'il peut accomplir.
- Omnibénévolent, c'est-à-dire infiniment bon.
- Omniscient, c'est-à-dire sachant tout, depuis les pensées les plus intimes de chacun de nous, jusqu'aux moindres faits qui constituent le monde.
- Transcendant et créateur du monde dont il maintient l'existence.

Notons immédiatement que cette caractérisation de Dieu soulève au moins trois séries d'objections.

Pour commencer, on a souvent argué contre la plausibilité ou la cohérence de chacun de ces attributs. Un argument célèbre contre l'omnipotence divine demande, par exemple, si un tel être peut, ou non, créer un objet si lourd qu'il ne pourra le soulever. Ou encore s'il peut réaliser un cercle carré. La réponse à ce genre d'argument est de rappeler que les cas imaginés sont insensés et logiquement impossibles. Ainsi, ce serait une erreur d'y voir une limite à l'omnipotence divine.

Cependant, on a également contesté que ces attributs, même s'ils sont individuellement consistants, soient entre eux consistants. Considérez, par exemple, l'argument suivant, que l'on doit à Michael L. Martin (1932-2015) : « Si Dieu possède l'omniscience, il connaît par familiarité tous les aspects du désir et de l'envie. Mais un aspect du désir et de l'envie est de ressentir du désir et de l'envie. Pourtant, le concept de Dieu comprend l'idée qu'Il est moralement parfait et la perfection morale exclut de ressentir de tels sentiments. En conséquence, il y a une contradiction dans le concept de Dieu[2]. »

De très nombreux arguments de ce genre ont été déployés. On a enfin soutenu que ces attributs divins sont en contradiction avec certaines données du monde. Deux arguments de ce genre sont particulièrement importants. Le premier concerne le libre arbitre. Si Dieu sait tout, en effet, il s'ensuit qu'il sait déjà ce que chacun de nous fera demain et tous les jours qui suivent. Il semble donc que nous n'ayons pas cette liberté de choisir, ce libre arbitre qui est présupposé par la notion religieuse de péché. Le deuxième de ces arguments est le problème du mal, sur lequel nous reviendrons plus loin. Pour le moment, venons-en à ces divers arguments par lesquels on a voulu démontrer l'existence de Dieu.

DES PREUVES DE L'EXISTENCE DE DIEU ?

DANS *LA SOMME THÉOLOGIQUE*, Thomas d'Aquin (1225-1274) a distingué ce qu'il a appelé des « voies », par lesquelles l'existence de Dieu pouvait selon lui être démontrée. Il en dénombre cinq, que la tradition philosophique ultérieure, à la suite de Kant, a ramenées à trois catégories d'arguments.

Les premiers ambitionnent de tirer l'existence de Dieu du fait que le monde existe de telle ou telle manière. Les deuxièmes la tiennent pour avérée du fait que le monde présente ordre et finalité. Finalement, les troisièmes tirent l'existence de Dieu de la notion même de Dieu. Les preuves, que nous déployons selon le cas, se nomment respectivement les preuves cosmologiques, téléologiques et ontologiques. Chacune de ces preuves a été avancée dans diverses versions, que nous ne pouvons pas toutes examiner ici. En voici cependant des formulations exemplaires.

LES PREUVES COSMOLOGIQUES

VOICI DEUX VERSIONS de cet argument telles que Thomas d'Aquin les donnait.

- Le premier moteur non mû : Tout ce qui change doit être changé par quelque chose. De la même manière, tout objet en mouvement doit être mû par quelque chose. Ce quelque chose est lui-même mû par quelque autre chose, et ainsi de suite. Mais ce processus ne pouvant se poursuivre infiniment, il doit donc y avoir un premier moteur non mû et indépendant de tout ce qui existe. C'est là ce que chacun entend par Dieu.

- La cause non causée : On observe dans le monde que tout effet a une cause et que rien de ce dont nous avons l'expérience est non causé. Cette fois encore, ce processus ne peut se poursuivre infiniment et il doit donc nécessairement exister une cause première et non causée. C'est là ce que chacun entend par Dieu. Mais on a soulevé de nombreuses objections contre ce type d'argument. David Hume, pour commencer, a nié qu'il soit légitime de vouloir étendre la notion de causalité (ou de moteur ou de changement), qui a du sens au sein de notre expérience du monde, au monde lui-même dans son ensemble et à sa création, dont nous n'avons nulle expérience.

On a aussi fait remarquer qu'une fois la conclusion atteinte, comme l'existence d'une cause première ou d'un moteur non mû, celle-ci contredit une des prémisses du raisonnement, qui affirme que tout ce qui existe a une cause ou que tout mouvement exige un moteur. Également, on a fait valoir qu'il n'y avait rien d'incohérent à admettre que la chaîne de relations de cause à effet puisse remonter indéfiniment.

Enfin, rien ne nous autorise à conclure que cette cause originelle soit le Dieu des monothéismes, voire quelque divinité que ce soit. Cette première cause pourrait (pourquoi pas ?) être le Big Bang ou un démon.

LES PREUVES TÉLÉOLOGIQUES

PARTONS D'UNE QUESTION soulevée par William
Paley (1743-1805). Celui-ci nous invite à imaginer
que, marchant dans la campagne, nous butons sur
une pierre. Si on nous demande ce qu'elle fait là, nous
pourrons répondre que, jusqu'à preuve du contraire,
elle s'y est toujours trouvée. Mais si c'est une montre
que nous trouvons ? En ce cas, soutient Paley, pareille
réponse ne convient plus. La présence et l'existence
de la montre ne peuvent être attribuées au hasard.
C'est que les nombreuses et complexes pièces qui
la composent ont à l'évidence été minutieusement
agencées pour accomplir une fonction précise, une
fonction que cette montre ne remplira d'ailleurs
plus ou ne remplira que mal si on modifie, même très
peu, ce délicat agencement. La montre, en somme,
témoigne d'un horloger, du projet qu'il avait en la
concevant, en même temps que du savoir et du savoir
faire qu'il a déployés pour la fabriquer.

Ce court et célèbre apologue nous donne
l'essentiel de ce que mettent en avant les arguments
téléologiques. En effet, ces derniers invoquent
l'ordre, le dessein et la finalité observés dans le
monde pour conclure à l'existence d'un créateur. Ce
type d'argument peut sembler convaincant, mais il a
lui aussi été fortement critiqué. Voici quelques-uns
des arguments utilisés contre lui par David Hume.

Hume fait d'abord valoir que la valeur de
l'analogie entre les œuvres des hommes et l'univers

est bien douteuse, tant il y a entre les deux de différences. De plus, en bonne logique explicative, l'hypothèse avancée devrait permettre d'expliquer non seulement les instances positives qui lui sont favorables, mais aussi les instances négatives, et donc le désordre observé. Il souligne ensuite que, partant de cette analogie, le raisonnement utilisé par la preuve téléologique repose sur le principe que des effets semblables sont dus à des causes semblables. Hume soutient que, même si l'on acceptait cette analogie, ce principe impliquerait qu'on ne pourrait logiquement inférer le Dieu des monothéismes de l'univers. En effet, on observe dans l'univers des effets finis : la cause de l'univers devrait donc être finie ; on observe aussi dans l'univers de nombreuses imperfections, souffrances et carences : cela inviterait à conclure à l'existence d'un créateur bien malhabile, imparfait et aux pouvoirs limités.

Hume rappelle enfin que les créations humaines supposent des corps et le concours de plusieurs créateurs, ce qui invite à attribuer ces propriétés au créateur – voire aux créateurs – présumé de l'univers.

Le dessein intelligent est la forme actuellement la plus répandue de l'argument téléologique, en même temps que le dernier refuge des créationnistes, qui sont ceux et celles qui rejettent la théorie de l'évolution énoncée par Darwin. Pour l'essentiel, ses tenants ne font que reprendre les idées de leurs prédécesseurs, en utilisant le vocabulaire de la biologie. L'œil, par exemple, n'est-il pas une machine d'une extraordinaire complexité ? Ne semble-t-il pas bien fait pour voir ? Et n'est-il pas vrai que notre technologie la plus avancée n'arrive pas à reproduire ses exploits? Il s'ensuivrait que l'univers témoigne du dessein intelligent d'un créateur.

Le biologiste contemporain Richard Dawkins (1941) a intitulé l'un de ses ouvrages *L'horloger aveugle*, résumant par ces mots l'essentiel de la réponse que la science actuelle donne, en même temps qu'à Paley, à toute forme d'argument téléologique. En un mot, elle consiste à rappeler que la théorie de l'évolution de Darwin a fourni un modèle théorique qui constitue un très singulier renversement des modes de pensée habituels. Elle permet de comprendre qu'il n'est pas nécessaire d'avoir de l'intelligence pour construire une machine qui semble avoir été conçue et préméditée. Elle explique aussi qu'un processus qui n'est pas lui-même intelligent, et qui ne se fixe pas de but, peut néanmoins générer quelque chose qui est intelligent et créatif.

Il est intéressant de noter que, dans sa discussion de l'argument téléologique, David Hume avait déjà avancé que si l'on pouvait expliquer l'ordre du monde par un dessein, on pouvait aussi bien l'expliquer par le hasard. Hume arguait que, dans un monde fini, un temps infini produirait de nombreuses combinaisons parmi lesquelles ne perdureraient que celles qui fonctionnent, tandis que les autres s'éteindraient. Aussi, suggérait-il, nous ne tendrions qu'à observer des combinaisons harmonieuses et donc une apparence de dessein.

LES PREUVES ONTOLOGIQUES

LES PREUVES QUE NOUS VENONS d'examiner sont dites *a posteriori*, en ce sens qu'elles remontent du monde à Dieu. Les preuves ontologiques, au contraire, sont dites *a priori*. Elles se déploient sans recourir ni au monde ni à aucune de ses propriétés, et prétendent tirer l'existence de Dieu de sa seule définition ou de son concept. Si les preuves ontologiques sont valides, dès lors que l'on comprend ce que signifie Dieu, son existence s'ensuivrait. Ce type de preuve a d'abord été suggéré par saint Anselme (1033-1109) dans un ouvrage intitulé *Proslogion*. C'est sa version que nous examinerons ici.

Anselme commence par poser que Dieu est, par définition, « quelque chose tel que rien de plus grand ne peut être conçu. » Il poursuit en citant la Bible (Psaumes, XIII, 1) : « L'Insensé dit dans son cœur : il n'y a pas de Dieu. » Ce faisant, l'Insensé nie que puisse exister cet Être tel que rien de plus grand ne peut être conçu et dont il a l'idée. Il nie qu'existe en réalité ce qui existe en sa pensée. Mais si cet être n'est pas en réalité, Il ne peut être tel que rien de plus grand ne peut être conçu : c'est que le même être existant en réalité serait plus grand encore, puisqu'il posséderait une propriété (l'existence) que l'autre, qui n'existe qu'en pensée, n'a pas et qui le rendrait plus grand que lui. Anselme conclut que Dieu, sitôt qu'on en comprend le concept, existe nécessairement.

Gaunilon de Marmoutier, un moine contemporain d'Anselme, a formulé une première et forte objection à cet argument. Il fait valoir que le raisonnement d'Anselme permet de conclure à l'existence de n'importe quoi de parfait. Gaunilon prend l'exemple d'une île parfaite. J'ai l'idée d'une île parfaite. Si elle n'existe que dans mon esprit, elle est moins parfaite que si elle existait aussi en réalité. Cette île parfaite existe donc. On aura deviné que le même raisonnement vaut pour tout ce qu'on voudra qui serait conçu comme parfait. Et à chaque fois, manifestement, la conclusion à laquelle on aboutit est absurde. La raison en est qu'il n'est pas rationnel de passer du concept à l'être, d'une idée à l'existence effective de ce qu'on a conçu. Anselme répond que de Dieu et de Lui seul, on peut tirer l'existence de l'idée, puisque cette idée, et elle seule, est celle d'un Être dont la perfection est une caractéristique essentielle et nécessaire.

DE CÉLÈBRES APHORISMES

Si Dieu n'existait pas, il faudrait l'inventer.
(VOLTAIRE)

Si Dieu existait, il faudrait s'en débarrasser.
(MICHEL BAKOUNINE)

Incompréhensible que Dieu soit et incompréhensible qu'il ne soit pas.
(BLAISE PASCAL)

L'univers m'embarrasse et je ne puis songer/
Que cette horloge existe et n'ait point d'horloger.
(VOLTAIRE)

Le cœur a ses raisons que la raison ignore.
(BLAISE PASCAL)

Prier : Demander que les lois de l'univers soient
abrogées en faveur d'un suppliant particulier qui,
de son propre aveu, est sans mérite.
(AMBROSE GWINETT BIERCE)

Dieu est mort. (FRIEDRICH NIETZSCHE)
Nietzsche est mort (Dieu). (ANONYME)

Non seulement Dieu n'existe pas, mais essayez
d'avoir un plombier pendant le week-end !
(WOODY ALLEN)

NAPOLÉON : Monsieur de Laplace, je ne trouve
pas dans votre système [astronomique] mention
de Dieu.
LAPLACE : Sire, je n'ai pas eu besoin de cette
hypothèse.

Aux yeux de plusieurs philosophes (mais pas de
tous), Kant a formulé la critique décisive de l'argument ontologique. Essentiellement, Kant rappelle
que l'existence n'est pas une propriété, un attribut,
qui s'ajouterait aux autres que peut posséder un
objet donné. « Rond », « rouge », « tendre » et
« juteux » sont bien des propriétés de la tomate ;

exister signifie qu'un objet dans le monde correspond à ces propriétés et n'ajoute rien à notre concept. Cent thalers dans votre imagination, dit Kant (il s'agit de la monnaie ayant cours en Prusse à l'époque) sont en tout point pareils aux cent thalers dans votre poche, à ceci près que seuls les seconds existent et qu'ils ne peuvent surgir dans votre poche à partir de votre imagination. Aucune existence, conclut Kant, pas même celle de Dieu, ne peut donc se décider par la seule analyse d'un concept.

Il revient à chacun de décider ce que valent ces arguments et ces contre-arguments. Mais on peut sans risque affirmer qu'ils n'ont de toute façon jamais, à eux seuls, amené quiconque à croire ou à ne pas croire.

Il existe cependant des arguments qui cherchent à montrer que si l'on ne peut prouver que Dieu existe, il est néanmoins raisonnable de croire qu'il existe.

Nous en examinerons deux : le pari de Pascal et la volonté de croire de William James.

LE PARI DE PASCAL

CONTRAIREMENT AUX PREUVES de l'existence de Dieu, qui prétendent démontrer que Dieu existe, l'argument proposé par Blaise Pascal (1623-1662) veut faire valoir qu'un parieur raisonnable va miser sur son existence.

Pascal se donne un interlocuteur imaginaire qui n'a pas la foi et qui est agnostique. Il convient avec lui qu'on ne peut savoir si Dieu existe. Cependant,

ou Il existe ou Il n'existe pas. L'agnostique considère qu'il faut suspendre son jugement. Pascal
veut le convaincre qu'il n'a pas le choix et doit
se prononcer : « [...] Il faut parier ; cela n'est pas
volontaire ; vous êtes embarqué ; et ne parier point
que Dieu est, c'est parier qu'il n'est pas. Lequel
prendrez-vous donc [3] ? »

QUI ÉTAIT PASCAL ?

PASCAL A EU UNE VIE intellectuelle remarquablement riche. En plus d'être un écrivain de talent
et un très grand philosophe, il a été un physicien
important. C'est en hommage à ses travaux que
l'unité de mesure de contrainte et de pression du
système international s'appelle le pascal. Il a été un
précurseur des ordinateurs en créant une machine
à calculer et c'est en son honneur qu'un langage de
programmation s'appelle Pascal. Il a aussi été un
mathématicien de tout premier plan et, notamment,
le codécouvreur de la théorie des probabilités. Son
célèbre pari s'inscrit dans ces travaux mathématiques.
En fait, Pascal inaugure par ce pari une branche des
mathématiques appelée à devenir très importante :
l'analyse coûts-bénéfices. On la retrouve aujourd'hui
dans les choix économiques, dans l'évaluation de
l'efficacité de procédures de toutes sortes, dans
le calcul de risques dans les assurances ou les jeux
de hasard, et dans un très grand nombre d'autres
domaines. À chaque fois, on procède essentiellement
par un calcul des gains et des pertes formulable dans

une matrice de décision. Celle du pari pascalien est la suivante :

FORMALISATION DU PARI DE PASCAL

	DIEU EXISTE	DIEU N'EXISTE PAS
JE CROIS EN DIEU ET JE VIS COMME S'IL EXISTAIT	GAIN INFINI. BÉATITUDE ÉTERNELLE	PERTE NULLE OU MINIME, EN TERME DE PLAISIRS TERRESTRES
JE NE CROIS PAS EN DIEU	PERTE INFINIE, CELLE DE LA BÉATITUDE ÉTERNELLE. POSSIBILITÉ DE DAMNATION ÉTERNELLE	GAIN NUL OU MINIME, EN TERME DE PLAISIRS TERRESTRES

Pour cela, poursuit Pascal, ce qui est rationnel est de se comporter comme le ferait un parieur devant une épreuve dont l'issue est incertaine et inconnue. Celui-ci va s'efforcer de maximiser ses gains et de minimiser ses pertes. Il y a ici quatre possibilités, qui sont les suivantes : Dieu existe. Il n'existe pas, on peut parier qu'Il existe, on peut parier qu'Il n'existe pas. Partant de là, il s'agit d'examiner les pertes et les gains associés à ces options.

Supposons d'abord que nous parions que Dieu existe. S'Il existe, le gain est incommensurable, puisqu'il s'agit de la béatitude éternelle. S'Il n'existe pas, la perte subie est minime, puisque nous aurons peut-être renoncé à quelques plaisirs terrestres et connu quelques autres désagréments mineurs, mais ce sera tout.

Mais supposons que nous avons parié que Dieu n'existe pas et que nous ayons gagné : Dieu, de fait, n'existe pas. Dans ce cas, nous gagnons quelques plaisirs terrestres et nous nous épargnons quelques désagréments mineurs associés au fait de croire et de pratiquer, comme aller à la messe, prier et jeûner. En revanche, si nous perdons ce pari parce que Dieu existe, alors la perte subie est incommensurable : nous perdons la béatitude éternelle et risquons même de subir la damnation éternelle de l'enfer.

On a soulevé de très nombreuses objections contre le pari. Pour commencer, la matrice de décision que Pascal propose peut fort bien être refusée par un athée. En effet, celui-ci considérera qu'on a toutes les raisons de penser que la probabilité de l'existence de Dieu est nulle et qu'en conséquence, le gain associé à la croyance en Dieu est également nul.

Ensuite, on pourra refuser d'accorder que le fait de parier ne coûte rien ou si peu. Le pari nous demande en effet d'adopter des croyances, non pour leur vérité, mais pour les conséquences qu'elles pourraient avoir. En d'autres termes, le pari demande le sacrifice de notre intégrité intellectuelle, ce qui n'est pas un mince prix à payer. Par ailleurs, le pari suppose, sans raison ni justification, que c'est sur l'existence du Dieu des chrétiens que se fait le pari. Rien n'exclut pourtant qu'Il n'existe pas et qu'à sa place existe un autre Dieu, parmi les innombrables qui ont été présumés. Et ce Dieu, qui existerait plutôt que celui sur lequel le parieur a misé, pourrait fort bien être fortement courroucé par ceux et celles qui ont cru en un autre Dieu que lui et souhaiterait les punir. Cette éventualité force à réécrire complètement la matrice de décision.

Le médecin, psychologue et philosophe William James (1842-1910) pensait pour sa part qu'il y a quelque chose de répugnant à l'idée de croire en Dieu pour des raisons bassement égoïstes et, pire encore, d'un égoïsme poussé à l'échelle cosmique et qui conduit à jouer à la religion comme d'autres jouent un rôle sur scène, tout cela dans l'espoir d'en tirer un gain considérable.

Mais James déployait lui aussi un argument destiné à montrer qu'il est des cas où nous avons bien le droit de croire.

LA VOLONTÉ DE CROIRE
SELON WILLIAM JAMES

SI L'ON ADMET QUE LA QUESTION de l'existence de Dieu ne peut être tranchée par la raison, est-il néanmoins raisonnable de croire qu'Il existe ?

Bien des gens vont considérer que, dans ce cas comme dans tous les autres semblables, croire sans que les faits ne soient concluants est à la fois une erreur épistémologique et un tort moral. Une telle position, que l'on peut appeler rationalisme évidentialiste, a été exposée par William K. Clifford (1845-1879), un contemporain de James, en une formule restée célèbre : « C'est un tort, écrivait-il, toujours, partout et pour quiconque, de croire quoi que ce soit sur la base d'une évidence insuffisante. » Est-ce bien le cas ? N'y a-t-il pas des occasions où il est permis, ou même souhaitable, de croire, et cela même si nous ne disposons pas d'une évidence suffisante ? Le débat qui s'ouvre ici est central en philosophie de la religion. Il oppose le volontarisme du croyant et l'exigence évidentialiste du rationaliste.

Contre la position rationaliste, William James a défendu une influente position volontariste. James soutient en effet que nous avons le droit de croire, et donc d'effectuer ce « saut de la foi », à tout le moins en certaines circonstances qui nous placent devant ce qu'il appelle une « véritable alternative ».

Selon lui, trois conditions doivent être satisfaites pour que ce soit le cas. Pour commencer, les options entre lesquelles nous devons choisir doivent être vivantes, en ce sens qu'elles présentent de réelles solutions de rechange. Décider si la Terre est plate ou ronde, par exemple, n'est plus pour nous une alternative vivante, mais bien morte.

Ensuite, choisir entre ces options est une obligation, en ce sens qu'il n'existe pas de troisième voie qui permettrait de ne pas choisir. Fumer ou non serait un tel choix obligé, puisqu'on peut seulement ou fumer ou ne pas fumer.

Enfin, le choix que nous ferons doit être d'une grande importance et avoir de réelles et profondes répercussions sur nos vies. Choisir d'aller au cinéma ce soir n'est pas un tel choix, choisir d'avoir ou non des enfants l'est.

Imaginons à présent, et pour reprendre un exemple cher à James, un alpiniste qui, pour terminer son parcours, ne peut reculer et doit sauter par-dessus un large précipice en risquant sa vie. Son choix est obligé, il est à l'évidence vivant et il est sans conteste d'une grande importance. Notre alpiniste est placé devant une « véritable alternative ». Vouloir croire et croire de toutes ses forces qu'il peut réussir ce saut est, malgré l'insuffisance de l'évidence, une croyance justifiée. Il en va de même pour la croyance en Dieu. Devant cette « véritable alternative », malgré l'insuffisance de l'évidence, il est légitime de vouloir croire et de laisser notre nature passionnelle nous conduire à la foi.

James attire ici notre attention sur le fait suivant : si l'exigence rationaliste évidentialiste est indispensable au savant dans son laboratoire, il est plausible que sitôt qu'on en sort, des limites puissent légitimement lui être assignées.

Toutefois, notez que si on lui accorde cette conclusion, pour qu'elle puisse s'appliquer à Dieu et à la religion, encore faut-il que la croyance religieuse soit pour nous une option vivante, forcée et importante. Si tel n'est pas le cas, si, par exemple, nous sommes déjà parvenus à la conclusion que Dieu ne peut exister, alors, nous ne pouvons appliquer la volonté de croire devant ce qui a cessé d'être une véritable alternative.

Nous sommes peut-être déjà dans un moment de l'histoire où un grand nombre de personnes, voire de cultures, sont dans cette situation. C'est notamment ce que signifie la célèbre phrase de Friedrich

Nietzsche (1844-1900) : « Dieu est mort. » Elle
nous rappelle qu'en certaines parties de l'Occident,
cette idée régulatrice, cet horizon par quoi l'entièreté
de l'expérience humaine recevait son sens le plus
profond et qu'on appelait Dieu a cessé d'être. Les
arguments qui tentent de prouver l'existence de
Dieu, et ceux qui s'efforcent de montrer qu'il est
raisonnable de croire en son existence ou, du moins,
de parier sur elle, ou encore de faire le « saut de la
foi » n'épuisent pas l'éventail de l'argumentaire
que les croyants peuvent déployer. Certains
auteurs suggèrent en effet qu'en se penchant sur
certaines dimensions de l'expérience religieuse que
connaissent les êtres humains, on pourra y trouver
des justifications de la croyance en Dieu. Nous en
verrons trois.

La première part, justement, de l'expérience
religieuse ; la deuxième invoque les miracles ; et la
troisième se base sur les exigences de la moralité.

NATURE ET SIGNIFICATION DE L'EXPÉRIENCE RELIGIEUSE

BIEN DES GENS, partout et de tout temps, ont
rapporté et rapportent encore des expériences
religieuses. Ces expériences sont vécues à des degrés
d'intensité divers, depuis l'émerveillement ressenti
devant un phénomène naturel jusqu'à l'expérience
vécue par le ou la mystique. Leur existence soulève,
au minimum, deux questions qui intéressent le

philosophe, qui veut comprendre, d'une part, leur nature et, d'autre part, leur signification.

Ces expériences religieuses sont décrites par ceux et celles qui les vivent comme étant des moments d'une grande importance et d'une profonde signification. Ce sont des moments décisifs et susceptibles de transformer radicalement le cours d'une vie. S'y mêlent un certain émerveillement devant le monde, la perception d'une certaine unité, le sens du sacré et la perception de valeurs fondamentales. Certains mystiques rapportent en outre des visions et la perception directe de la présence de Dieu.

Est-il possible de cerner plus distinctement de telles expériences ? William James s'est efforcé de le faire dans son livre *Les variétés de l'expérience religieuse*. Il avance quatre traits qui les caractériseraient.

Pour commencer, une telle expérience semble ineffable à qui la vit : les mots qu'il emploie pour la décrire lui paraissent insuffisants pour la cerner précisément. Ensuite, cette expérience possède une dimension noétique. Ce que James veut dire par là, c'est que, bien qu'une telle expérience soit fortement émotive, le sujet la ressent également comme lui donnant accès à des vérités universelles et importantes. Cependant, elle le fait sur un plan et par des moyens différents de ceux par lesquels on accède habituellement à la vérité. De plus, cette expérience est éphémère et ne dure qu'une heure ou deux. Finalement, les personnes qui vivent cette expérience rapportent un sentiment de passivité. Tout se passe en effet comme si elles étaient sous le contrôle d'une puissance supérieure.

L'existence de telles expériences, jointe au fait qu'elles soient souvent rapportées dans des termes similaires, donne-t-elle pour autant une base raisonnable pour poser l'existence de Dieu ? La réponse à cette question dépend d'abord de celle de savoir quel crédit il convient de donner à une expérience subjective. Or, nous savons d'expérience qu'il est possible de se tromper dans la description et sur le sens de ce que nous rapportons. Il est donc risqué de conclure que des expériences subjectives rapportées aient un lien avec la véracité de leur objet.

De plus, et par-delà les similitudes entre ces expériences vécues à travers le temps et les cultures que rapporte James, on peut aussi noter d'importantes différences entre elles. Certains sont conduits par leur expérience à des croyances qui contredisent celles auxquelles d'autres, par la même expérience, sont conduits. L'expérience religieuse des uns les amène à se conduire d'une certaine manière, et celle des autres d'une tout autre manière. Certains assurent même que Dieu les a obligés à faire des gestes condamnés par la société, comme tuer des gens.

James lui-même n'excluait pas la possibilité que les expériences dont il faisait état puissent être induites par la consommation de drogues ou d'alcool. Ce faisant, il ouvrait la porte à diverses formes d'explications naturalistes de l'expérience religieuse, qui se multiplient de nos jours.

On a ainsi réalisé des études expérimentales sur la neurobiologie des expériences dites « mystiques ».

Elles ont, par exemple, permis d'établir les effets de la méditation et de la prière sur le lobe pariétal postéro-supérieur du cerveau, siège de la détermination par le sujet des limites de son corps. Or, les descriptions des expériences « mystiques » ressemblent à s'y méprendre à ce que rapportent les sujets atteints de lésions dans ces régions.

On sait aussi désormais que l'augmentation de l'éthylène dans l'organisme permet de faire l'expérience de véritables moments mystiques. C'est justement ce que provoque la respiration pratiquée par les yogis ou encore... une faille géologique située à Delphes, en Grèce, précisément le lieu où étaient recueillis de célèbres oracles.

LES MIRACLES

L'OCCURRENCE DE MIRACLES est parfois invoquée pour conclure à la plausibilité de l'existence de Dieu. Le philosophe David Hume (1711-1776) a toutefois fait une célèbre critique de cet argumentaire, une critique que plusieurs jugent décisive. Hume remarque d'abord que les différentes religions avancent toutes des miracles en leur faveur. Cependant, le fait que certaines de leurs croyances sont incompatibles entre elles implique que ces miracles ne peuvent raisonnablement pas être tous tenus pour avérés. Il note ensuite combien ces miracles sont finalement ou bien triviaux ou bien des occurrences rares et improbables. Mais les probabilités permettent de prédire que de tels événements improbables se produiront parfois. Surtout, Hume fait valoir qu'un miracle est une occurrence qui va à l'encontre des lois connues de l'univers. De plus, il est supposé être tenu pour réel sur la base d'un ou de plusieurs témoignages. Deux hypothèses peuvent être ici avancées : la première tient l'occurrence pour réelle, la seconde met en doute le témoignage.

Or, notre expérience témoigne avec une très grande force de la véracité des lois qui auraient été transgressées lors du miracle. Notre expérience nous apprend également que les gens se trompent souvent et aussi qu'ils mentent, pour une infinité de raisons, parmi lesquelles le fait de se rendre intéressant en étant témoin d'un miracle. Pour accepter la réalité du miracle, et donc la première hypothèse, il faudrait une preuve contraire et supérieure à celle que nous avons pour croire les lois de la nature.

Hume conclut : « Quand un homme me dit qu'il a vu un mort rappelé à la vie, je considère immédiatement en moi-même s'il est plus probable que cet homme me trompe ou qu'il se trompe, ou que le fait s'est réellement produit. Je pèse, l'un en regard de l'autre, les deux miracles [...]. Si la fausseté de son témoignage était encore plus miraculeuse que l'événement qu'il rapporte, alors, et alors seulement, il peut prétendre gouverner ma croyance et mon opinion [4]. »

LA POSITION KANTIENNE :
DIEU COMME EXIGENCE MORALE

Après avoir terminé l'immense tâche épistémologique qu'il s'était assignée dans la *Critique de la
raison pure*, Kant écrit : « J'ai supprimé le savoir pour
faire place à la foi. » Ce qu'il voulait dire, c'est que le
fait de reconnaître qu'il est impossible d'établir par
la raison l'existence de Dieu nous laisse néanmoins la
possibilité de croire en Lui, et donc d'avoir la foi. La
foi dont parle Kant est fondée sur l'idée que certaines
dimensions de nos vies n'ont de sens que si on a
postulé que Dieu existe. Les dimensions auxquelles
réfère Kant sont celles qui constituent la moralité.
Nous sentons, dit Kant, que nous devons agir de telle
ou telle manière ; nous nous sentons coupables de ne
pas le faire ; nous jugeons nos actions et celles d'autrui
selon des normes et des critères moraux. Ce faisant,
nous estimons, souvent contre toute évidence, que
la vertu est récompensée et la méchanceté punie.
Tout cela ne peut avoir de sens que si Dieu existe et
qu'il corrigera ces intolérables injustices. Nous ne
pouvons prouver que Dieu existe, certes, mais croire
en son existence est justifié. On peut distinguer deux
aspects à l'argumentaire kantien.

Le premier, qui soustrait l'existence de Dieu du
domaine de ce qui peut être établi par la raison et
le rapporte à la foi, fera bien des émules. Mais il
signifie aussi qu'il cesse d'être possible de faire de
la philosophie de la religion au sens usuel du terme,

puisque arguments et contre-arguments ne peuvent plus être déployés.

Le deuxième, qui lie Dieu à la moralité, est vulnérable au dilemme d'Euthyphron, que nous avons vu dans le chapitre 4.

QUELQUES EXPLICATIONS NATURALISTES DE LA RELIGION

NOUS AVONS JUSQU'ICI EXAMINÉ des arguments avancés en faveur de l'existence de Dieu et du fait religieux, et des contre-arguments que l'on peut leur opposer.

Les incroyants, de leur côté, arguent que la faillite de ces divers arguments invite à penser que Dieu n'existe pas, et à chercher du côté des explications naturalistes les raisons de l'existence et de la persistance de ces croyances. De telles explications naturalistes de la religion sont déjà mises de l'avant depuis longtemps au sein de la tradition occidentale.

C'est ainsi qu'Épicure, puis Lucrèce, ont suggéré que la religion est essentiellement « une maladie née de la peur ».

Avec sa fameuse *Loi des trois états*, Auguste Comte invitait pour sa part à considérer la religion comme un moment historiquement situé, et désormais dépassé d'abord par la métaphysique, puis par la science positive de la compréhension du monde. Marx et d'autres ont ensuite suggéré, en analysant sa fonction politique et idéologique, que la religion était à la fois une expression de la misère réelle et une protestation contre elle. C'est, dira Marx, un « soupir de la créature accablée par le malheur [et] l'âme d'un monde sans cœur[5] ». Bref, et selon la célèbre formule, un « opium du peuple ». Freud proposera que la religion est une forme de projection de l'image du père et de névrose infantile, dont l'adulte et la société devront guérir pour recouvrer la santé.

Comme les croyants, les incroyants ont en outre des arguments à invoquer pour soutenir l'inexistence de Dieu. Le plus solide d'entre eux est probablement celui qu'on appelle le problème du mal.

LE PROBLÈME DU MAL ET LES THÉODICÉES

VICTOR HUGO A ÉCRIT QUE le « monde est une fête où le meurtre fourmille/Et la création se dévore en famille ». Il suffit d'ouvrir les yeux pour en convenir avec le poète. Des innocents et des justes sont assassinés, les victimes de guerres et de torture sont innombrables, la maladie et les catastrophes naturelles font depuis toujours des montagnes de cadavres. Or, ce monde, selon les croyants, aurait été créé par un dieu omnibénévolent, omnipuissant et omniscient.

La contradiction entre ce Dieu et la présence de tant de souffrance est manifeste et elle pose ce qu'on appelle traditionnellement le « problème du Mal ». Il est posé dans la Bible, dans le Livre de Job, ce juste accablé de malheurs.

Le philosophe Épicure, dans l'Antiquité, l'avait présenté ainsi : « De deux choses l'une : ou bien Dieu veut abolir le Mal, et il ne peut pas. Ou bien il peut, mais il ne le veut pas. S'il le veut, mais qu'il ne le peut, il est impuissant. S'il le peut, mais ne le veut pas, alors il est cruel. S'il ne le peut ni ne le veut, alors il est à la fois sans pouvoir et méchant. Mais si, comme ils le disent, Dieu veut abolir le Mal – et Dieu veut réellement le faire –, alors pourquoi y a-t-il du mal dans le monde ? » Il conviendrait d'ajouter que la présence du Mal vient de ce que Dieu voudrait et pourrait parfaitement l'éliminer, si seulement il connaissait son existence. Mais il l'ignore, et, en ce cas, il n'est pas omniscient.

Pour résoudre le problème du mal, philosophes et théologiens croyants ont élaboré ce qu'on appelle des théodicées. Littéralement, ce sont des arguments qui cherchent à solutionner le problème de la souffrance en montrant que Dieu (*theo*) est bel et bien juste (*dike*).

DEUX AVENUES ONT PRINCIPALEMENT ÉTÉ EXPLORÉES.

LA PREMIÈRE, INAUGURÉE par saint Irénée de Lyon (IIe siècle apr. J.-C.), argue que le mal résulte de ce que Dieu a choisi, avec raison, de nous doter de ce libre arbitre par lequel nous pouvons faire des choix qui nous donneront la vie éternelle. Le mal provient du mauvais usage que font certains de ce libre arbitre. Cependant, il convient ici de distinguer deux classes de maux parmi tous ceux qu'on peut observer dans le monde. Il y a d'abord ceux qui sont causés par des actions humaines, comme la guerre, la torture ou l'assassinat. Mais il y a aussi ceux qui ne sont pas causés par des actions humaines, les catastrophes naturelles par exemple. On appelle les premiers le mal moral, les deuxièmes, le mal naturel.

DEUX ÉMINENTS PHILOSOPHES DE LA RELIGION

Saint Augustin

Bien qu'il ait vécu durant l'Antiquité, saint Augustin (354-430), né à Thagaste, dans l'actuelle Algérie, appartient déjà, par sa problématique philosophique et théologique, à l'univers mental du Moyen Âge. Il témoigne en fait du premier moment de la rencontre du christianisme avec la philosophie, appelé la Patristique. Son œuvre élabore le cadre général dans lequel se déploiera une substantielle part de la philosophie médiévale.

Deux de ses ouvrages sont surtout lus aujourd'hui. Il s'agit des *Confessions* et de *La Cité de Dieu*. Le premier constitue une autobiographie spirituelle, sorte de roman d'apprentissage avant la lettre, racontant l'itinéraire de l'auteur/narrateur vers Dieu. Le second expose une philosophie de l'histoire, qui influencera la conception des rapports de l'Église et de l'État durant tout le Moyen Âge et au-delà.

Saint Thomas d'Aquin

Professeur à l'Université de Paris, saint Thomas d'Aquin (1225-1274), né à Aquino près de Naples, en Italie, laisse lui aussi une œuvre qui exercera, en philosophie comme en théologie, une profonde et durable influence. Successivement adoptée par les Dominicains, l'ordre auquel il appartenait, puis par les Jésuites, elle sera promue au XIXe siècle au rang de doctrine officielle de la théologie de l'Église catholique romaine. Saint Thomas d'Aquin est contemporain de la redécouverte et de la diffusion de la science et de la philosophie grecque, et tout particulièrement des œuvres d'Aristote transmises par les Arabes – elles ont été étudiées notamment par Avicenne (980-1037) et par Averroès (1126-1198). Il s'efforce de parvenir à une vaste synthèse qui concilie raison et foi, philosophie et théologie, Aristote et la Bible, université et monastère. Son œuvre majeure est *La somme théologique*.

L'argument du libre arbitre, disent ses critiques, semble ne rendre compte que d'une part du mal moral. Ses défenseurs invoquent alors saint Augustin à leur rescousse.

Insatisfaits de cette explication, d'autres ont déployé un autre argumentaire selon lequel le mal est nécessaire afin que les êtres humains puissent grandir par les épreuves. Être généreux ou bon suppose en effet qu'il y ait des gens envers qui l'être. Être courageux exige des obstacles à affronter. Avoir la foi suppose des raisons de douter. La croissance spirituelle suppose donc une certaine souffrance comme condition. Cependant, cette solution a elle aussi ses critiques.

Elles font valoir qu'un Dieu tout-puissant aurait bien pu nous donner des personnalités plus vertueuses et que la quantité de souffrance qu'on observe est trop grande pour être explicable de la sorte. Elles dénoncent aussi que la distribution de cette souffrance est bien étrange et peu compatible avec un Dieu infiniment bon, qui aurait choisi de les introduire dans le monde pour nous rendre meilleurs. En effet, des dictateurs sanguinaires meurent paisiblement dans leur lit, tandis que de bonnes personnes souffrent le martyre et que des choses terribles arrivent à des gens peu de temps avant leur mort, ce qui ne leur laisse pas le temps de devenir meilleurs. Et puis, demande-t-on aussi, comment justifier le fait que les animaux eux-mêmes souffrent autant ?

QU'EN PENSAIT SAINT AUGUSTIN ?

LA THÉODICÉE DE SAINT AUGUSTIN est une version de l'explication par le libre arbitre. Elle part du récit biblique de la Chute. Adam et Ève, les premiers êtres humains créés par Dieu, ont désobéi à son ordre leur interdisant de toucher ou de manger le fruit de l'arbre de la connaissance du Bien et du Mal. Ils sont expulsés de l'Éden. Ils avaient donc le libre arbitre et en ont mal usé. Il s'en est suivi la corruption de la nature humaine, et toutes les générations subséquentes héritent de ce péché originel, qui est la cause du mal moral. Mais il s'est ensuivi la corruption de la Création de Dieu qu'est l'univers, d'où le mal naturel. C'est donc bien notre libre arbitre qui serait la cause de tout le mal.

Ce problème du mal, on l'aura noté, ne se pose pas en ces termes pour les incroyants, pour lesquels la présence de la souffrance et du mal est un argument contre l'existence de Dieu, à tout le moins d'un dieu comme celui que postulent les monothéismes.

PETIT LEXIQUE DE L'INCROYANCE

Humanisme : Doctrine et attitude faisant de la personne, de sa dignité et de son épanouissement la valeur suprême. Du latin *humanitas*, « bonté envers d'autres personnes » (XIIe siècle). Étude des lettres classiques (XVIe siècle).

Laïcité : Neutralité et non-reconnaissance des religions, de leurs croyances ou de leurs institutions, en particulier de la part de l'État et des institutions politiques. Séparation de l'Église et de l'État, notamment en ce qui concerne l'enseignement public. (Laïque, au sens large : étranger à la religion ou encore indépendant des conceptions ou institutions religieuses.)

Libre-pensée : Position de qui refuse de se soumettre aux dogmes religieux et entend penser par lui ou par elle-même. Des valeurs, notamment le rationalisme, sont de la sorte mises en œuvre.

ANTICLÉRICALISME : Attitude d'opposition, parfois hostile, à la religion et au clergé, en particulier à leur ingérence dans les affaires publiques.

Il existe de nombreux autres sujets abordés en philosophie de la religion. Parmi les plus importants, rappelons les questionnements qui tournent autour de la place qu'il convient de faire aux croyances religieuses dans la sphère publique. La sécularisation de nos sociétés, la multiplicité des croyances religieuses, ainsi que la présence d'un humanisme laïque, de l'agnosticisme, de l'athéisme, voire de l'anticléricalisme ont rendu ces questions incontournables en philosophie politique. La philosophie de la religion contribue à la réflexion qui se poursuit sur ces importants enjeux.

DIX POINTS À RETENIR

1   Définir clairement ce qu'on entend par « Dieu est indispensable » pour discuter de Dieu et de religion.

2   En faveur de l'existence du Dieu des monothéismes, on a avancé des arguments cosmologiques, téléologiques et ontologiques.

3   Le pari de Pascal entend montrer qu'il est raisonnable de miser sur l'existence de Dieu.

4   William James veut montrer qu'il est
    raisonnable de s'autoriser le « saut de la
    foi » et d'avoir la volonté de croire.

5   L'expérience religieuse est singulière et
    fournit, selon James, une base rationnelle
    pour penser que Dieu existe.

6   L'occurrence de miracles permettrait
    de parvenir à la même conclusion
    raisonnable.

7   Tous les arguments précédents (2 à 6)
    ont été vivement contestés.

8   Kant en reconnaît les limites et pose
    plutôt Dieu et la religion comme
    exigences morales.

9   Les théodicées cherchent à résoudre le
    problème du Mal. Les incroyants jugent
    ces réponses inacceptables et pensent que
    la présence de tant de souffrance dans le
    monde offre une bonne raison de ne pas
    croire en l'existence de Dieu.

10 La place qu'il convient d'accorder à
    la religion dans l'espace public est un
    problème très actuel dans les sociétés
    pluralistes, à la solution duquel la
    philosophie a beaucoup à apporter.

LA PHILOSOPHIE POLITIQUE : LES GRANDES IDÉOLOGIES POLITIQUES ET LA TRADITION DU CONTRAT SOCIAL

LE SOCIOLOGUE, L'HISTORIEN, l'économiste, le juriste, le politicologue, mais aussi le journaliste et le spécialiste des relations publiques, sans oublier le citoyen : tout le monde, en fait, peut s'intéresser à la politique.

Ce qui distingue les travaux du philosophe des réflexions de toutes ces personnes, c'est le fait qu'il tend essentiellement à s'intéresser aux questions conceptuelles et normatives qu'on y retrouve immanquablement. « Qu'est-ce que l'égalité ? » et « En quoi devraient consister les institutions d'une société juste ? » sont des exemples de questions qui intéressent le philosophe.

Ces questions comptaient parmi celles que posait déjà Platon dans *La République*. D'autres semblables, toutes relatives à la nature et à la valeur de nos institutions économiques, sociales et politiques, de l'État et du gouvernement, n'ont cessé d'être reprises par les philosophes politiques au cours des siècles.

Il en a résulté une longue et riche tradition de réflexion de philosophie politique, qui devrait être familière à quiconque s'intéresse à la politique, à l'économie, au droit et à la société en général. Les problèmes que nous nous posons aujourd'hui encore ont vraisemblablement tous été posés et débattus au sein de cette tradition. Les réponses avancées ont profondément façonné nos idées et nos institutions. Ce chapitre comprend deux grandes sections.

La première dresse rapidement le portrait des principales grandes idéologies ou, si l'on préfère, familles d'idées politiques.

La deuxième pose le problème de la justification de l'autorité politique et rappelle comment l'a pensée la riche tradition du contrat social.

QUELQUES GRANDES IDÉOLOGIES
OU FAMILLES D'IDÉES POLITIQUES

Nous commencerons par un rapide survol de cinq de ces « familles » : le libéralisme, le socialisme, l'anarchisme, le nationalisme et le conservatisme.

LE LIBÉRALISME

Employé en un sens très général et pré-philosophique, le libéralisme est sans doute la position politique (mais aussi économique) dominante dans les sociétés industrielles avancées et dans nos démocraties, justement appelées libérales.

Le mot est parfois employé aujourd'hui pour simplement affirmer l'importance accordée à la liberté individuelle, une certaine tolérance devant les modes de vie les plus divers et une prédilection pour un État de droit démocratique. Il perd alors une grande part de son intérêt philosophique. Pour retrouver son sens original, celui qui est le plus important sur le plan philosophique, il faut retourner aux racines historiques du libéralisme et rappeler les deux directions dans lesquelles il s'est déployé.

Le libéralisme est, pour commencer, une position politique née au XVIIᵉ siècle, chez des auteurs comme John Locke (1632-1704) ou Montesquieu (1689-1755). La liberté pour les individus de poursuivre sans contraintes les buts qu'ils se fixent en est d'emblée une caractéristique centrale : les individus peuvent, librement, choisir leurs idéaux et donc leur conception de ce qu'on appellera une « vie bonne ». Le libéralisme implique également une exigence de tolérance envers la multiplicité des choix qui résulte immanquablement d'une telle possibilité de choisir. Il existe enfin, dans ce libéralisme, une profonde méfiance envers ce qui pourra s'opposer à ces idéaux, notamment une méfiance envers une trop grande présence et une trop importante influence de l'État, qui tend alors à être considéré comme devant limiter son action, notamment à la préservation des droits individuels. Thomas Hobbes, que nous découvrirons plus loin, écrit : « La liberté d'un sujet ne se trouve que dans ces choses que le souverain, en réglant les actions des hommes, a passées sous silence, comme la liberté d'acheter, de vendre, ou de passer d'autres contrats les uns avec les autres, de choisir leur domicile personnel, leur alimentation personnelle, leur métier personnel, et d'éduquer leurs enfants comme ils le jugent bon, et ainsi de suite [1]. » À ce libéralisme politique, s'ajoute un libéralisme économique dont le principal penseur est Adam Smith (1723-1790). Dans ses *Recherches sur la nature et les causes de la richesse des nations* (1776), document fondateur de l'économie politique, il pose que des échanges économiques exempts de toute intervention et de toute contrainte étatiques constitueront un libre marché qui harmonisera spontanément les intérêts particuliers et l'intérêt général. Sur un tel libre marché, écrit Smith : « [...] chaque individu travaille nécessairement à rendre aussi grand que possible le revenu annuel de la société. À la vérité, son intention en général n'est pas en cela de servir l'intérêt public, et il ne sait même pas jusqu'à quel point il peut être utile à la société [...]. Il ne pense qu'à son propre gain ; en cela, comme dans beaucoup d'autres cas, il est conduit par une main invisible à remplir une fin qui n'entre nullement dans ses intentions ; et ce n'est pas toujours ce qu'il y a de plus mal pour la société, que cette fin n'entre pour rien dans ses intentions. Tout en ne cherchant que son intérêt personnel, il travaille souvent d'une manière bien plus efficace pour l'intérêt de la société, que s'il avait réellement pour but d'y travailler[2]. »

QU'EST-CE QUE LA SÉPARATION DES POUVOIRS ?

Pièce importante de la position libérale devant contribuer à préserver la liberté du citoyen, l'idée de séparation des pouvoirs remonte à Locke et à Montesquieu. Trois pouvoirs sont distingués : le législatif, l'exécutif et le judiciaire. Ces derniers sont séparés de manière à ce que rien ni personne n'en détienne plus d'un : « Pour qu'on ne puisse abuser du pouvoir, il faut que, par la disposition des choses, le pouvoir arrête le pouvoir[3]. »

Partant de là, de très nombreuses et variées synthèses de ces tendances, pas toujours faciles à concilier, ont été défendues comme étant du libéralisme.

Ce qu'on leur reproche est souvent la trop grande place qu'elles accordent à l'individu au détriment de la collectivité, et le peu de cas qu'elles font de valeurs autres que la liberté, en particulier de l'égalité.

La plus récente de ces moutures est appelée néolibéralisme. Elle usurpe en partie son nom, puisqu'elle est un ultralibéralisme économique réalisé dans des conditions inédites et inconnues de Smith et du libéralisme classique. À bien des égards, ces conditions sont antilibérales, ne serait-ce que par la présence de ces méga-entreprises et compagnies transnationales, et coupées des balises éthiques et institutionnelles que Smith et les autres jugeaient indispensables à la pérennité d'une société libérale. Ce néolibéralisme se caractérise en outre, et très paradoxalement, par de nombreuses, massives et incessantes interventions des États dans l'économie.

UNE MISE EN GARDE

Le mot « libéralisme » est d'emblée vaste et polysémique. Dans le langage courant et même journalistique, il est parfois profondément ambigu et confusionnel. Considérez l'exemple suivant. Associé aux excès du néolibéralisme, l'appellation « libéral » peut servir, dans les pays francophones, à stigmatiser un partisan de politiques économiques associées à la droite de l'échiquier politique, telles que des privatisations et des baisses d'impôts pour les mieux nantis. En revanche, aux États-Unis, pays phare de telles positions économiques, un libéral est celui qui défend des idées politiques et philosophiques comme la tolérance, l'égalité des chances et la mise en place de programmes publics d'éducation et de santé. Le mot sert alors à stigmatiser une position en la situant, cette fois, à gauche de l'échiquier politique.

LE SOCIALISME

LE SOCIALISME, ou plutôt les socialismes, puisque nous avons ici encore affaire à une large famille de positions politiques, est au mieux compris en référence au contexte historique qui l'a vu naître, celui de la Révolution industrielle au début du XIXᵉ siècle.

Le socialisme est en effet d'abord une réaction morale devant les massives inégalités qu'engendre la Révolution industrielle, et le caractère jugé intolérable et injuste de l'exploitation des travailleurs. Il est aussi une réaction contre les valeurs et les comportements encouragés par un tel progrès technique et le capitalisme naissant, comme l'exploitation, l'égoïsme ou l'individualisme. Contre la seule recherche du profit, les premiers socialistes font ainsi valoir que des exigences morales et sociales doivent être prises en compte. Le travail des enfants, argue-t-on par exemple, est peut-être économiquement rentable, mais il n'en demeure pas moins que cette pratique est moralement inacceptable. Devant l'accumulation du profit entre les mains de quelques propriétaires d'usines, les socialistes s'indignent encore de ce que ce profit ne revienne pas à ceux qui travaillent. Devant l'exploitation, ils réclament plus de justice économique, une plus grande égalité des chances et un accès pour tous à l'éducation et à la santé.

Les premiers socialistes sont souvent des utopistes, comme Charles Fourier (1772-1837), qui imagine de vastes regroupements de vie communautaire entre gens librement associés au sein de ce qu'il appelle des « phalanstères ». Mais bientôt, les positions socialistes se déclinent en argumentaires plus rigoureux en faveur d'objectifs mieux définis. Coopératives, abolition du capital, collectivisme et syndicalisme en sont autant de manifestations.

Le socialisme conçu par Karl Marx, appelé communisme, doit être distingué de ceux-là. Durant la majeure partie du XXᵉ siècle, les régimes s'en réclamant frauduleusement ont entretenu des relations conflictuelles avec les socialismes des partis sociaux démocrates. Ce sont eux, aujourd'hui, qui incarnent le socialisme et qui cherchent un peu partout les conditions de son renouvellement. Cependant, ses critiques lui reprochent notamment de méconnaître l'importance de la liberté individuelle et le caractère coercitif des mesures nécessaires à l'atteinte de ses idéaux.

COMMENT DISTINGUER SOCIALISME ET COMMUNISME ?

LA REVENDICATION de justice et d'équité portée par le socialisme a souvent été affirmée dans le cadre des démocraties libérales, au sein desquelles on a cru possible leur réalisation.

Le communisme, au contraire, en se présentant parfois comme un socialisme scientifique et non réformiste, aspire à une société sans classe. Il passe par une rupture complète avec le capitalisme et la démocratie libérale, jugée frauduleuse et oppressive. Cette société communiste n'advient cependant pas immédiatement après la révolution. On n'y parviendra qu'à la suite d'une phase transitoire durant laquelle le prolétariat exerce sur la bourgeoisie ses institutions et ses mentalités subsistantes, une indispensable « dictature du prolétariat ». L'État est indispensable à ce travail, mais les communistes, à la suite de Karl Marx (1818-1883) et de Lénine (1870-1924), pensent qu'il « dépérira » peu à peu à mesure qu'il deviendra inutile. Pour défendre cette étrange conclusion, les communistes se basèrent notamment sur l'expérience de la Commune. Celle-ci est présumée avoir échoué en raison de l'absence d'un pouvoir central fort, capable de réprimer les contre-révolutionnaires. Les anarchistes assurèrent que la mise en place d'un tel pouvoir, qui n'est rien d'autre qu'une dictature, conduirait au contraire et immanquablement à la mise en place d'une indélogeable et liberticide « bureaucratie rouge ». C'est du moins ainsi que la nommera Bakounine, jugeant qu'elle interdirait à jamais l'instauration d'un véritable communisme ou d'un véritable socialisme.

L'ANARCHISME (OU SOCIALISME LIBERTAIRE)

Frères ennemis des communistes, les anarchistes aspirent eux aussi à une société sans classes et sans exploitation, et sont donc des socialistes.

Mais leur point de départ se trouve dans une profonde méfiance envers le pouvoir sous toutes ses formes et envers l'État, tout particulièrement. S'y joint une revendication de liberté si grande qu'elle les placerait à la gauche des libéraux classiques.

L'anarchisme a été une force et un mouvement politiques importants et avec lesquels il a fallu compter, au moins jusqu'en 1939, moment où la défaite des Républicains dans la Guerre civile espagnole met un terme à la plus vaste expérience libertaire. Son influence a depuis diminué, mais il reste toujours bien présent.

Les anarchistes vont décliner leurs idéaux en un anarchisme individualiste et en des anarchismes sociaux, différant selon les modes de reconstruction du lien social et économique qu'ils défendent. Autogestion, coopération, fédéralisme, sont quelques-uns des principaux noms d'idéaux défendus par les anarchistes. Ces principes seront mis en place à des degrés et des échelles divers. Les principaux représentants de l'anarchisme classique sont Max Stirner (1806-1856), principal théoricien de l'anarchisme individualiste, Pierre-Joseph Proudhon (1809-1865), Michel Bakounine (1814-1876) et Pierre Kropotkine (1842-1921).

Mai 1968 a vu un renouveau des idées anarchistes, qui s'est ensuite amplifié avec la lutte contre la globalisation de l'économie. De nos jours, le linguiste Noam Chomsky (1928) se réclame ouvertement de l'anarchisme. Il existe en outre des partisans d'une économie de marché sans entrave et qui se réclament pour cette raison de ce qu'ils nomment un anarcho-capitalisme. Ceci irrite d'ailleurs fortement les anarchistes, pour qui leur position est inséparable d'un projet politique égalitaire et anti-autoritariste. Cet idéal leur paraît être incompatible avec une économie où certains peuvent acheter la force de travail que d'autres sont contraints de vendre pour survivre.

On reproche souvent aux anarchistes une vision trop idéale de la nature humaine et le caractère utopique de leurs propositions.

LE NATIONALISME

Nous utilisons parfois le mot « nations » pour désigner des États. D'ailleurs, l'Organisation des Nations unies (ONU) est en fait, à y regarder de plus près, une réunion d'États. Il est pourtant important de distinguer État et nation. Certes l'État-nation est aujourd'hui le mode d'organisation politique type. Cependant, il n'en a pas toujours été ainsi et sa création est relativement récente. Le sentiment patriotique, lui, est, bien entendu, antérieur. Une nation peut être définie par la conjonction de critères plus objectifs et de critères plus subjectifs. Les premiers sont ces propriétés et caractéristiques que partagent ceux qui constituent une nation, notamment une langue, une histoire, une culture, une origine ou une religion.

Ces critères ne suffisent cependant pas à eux seuls à définir la nation. Par exemple une nation peut posséder plus d'une langue, et une langue peut être parlée dans plusieurs nations. On en dira autant de la religion, de la culture ou de l'histoire. De même, un État peut regrouper plusieurs nations et, inversement, une même nation peut être disséminée en plusieurs États. La nation résulte donc d'autre chose que de l'État et c'est ici que des critères plus subjectifs entrent en considération, comme un sentiment d'appartenance, un consentement à s'associer à d'autres pour prendre part avec eux à un projet commun. Les nationalismes sont donc aussi l'expression de ce sentiment, qui est souvent lié à une forme d'autorité politique présumée, l'État, permettant la réalisation et la pérennité d'un projet politique poursuivi sans entraves extérieures. On le sait, le nationalisme, depuis deux siècles, n'a cessé d'être une source importante de conflits, souvent extrêmement violents. Pour cette raison, il suscite une profonde méfiance chez les philosophes politiques. Albert Einstein a exprimé cette position en disant du nationalisme qu'il est « une maladie infantile de l'humanité », sa rougeole en quelque sorte.

Sans en nier les possibles dérives, d'autres se sont efforcés de distinguer un nationalisme fermé, ethnique, reposant sur l'appartenance par « le sol et le sang », d'un nationalisme libéral, ouvert, de culture, d'émancipation et combinant harmonieusement appartenance culturelle et affirmation politique. De nombreux débats politiques tournent autour de la question de savoir si cette distinction est éclairante, féconde et légitime. Et, si oui, dans quelle mesure et avec quelles implications.

Un regard, même superficiel, posé sur le monde qui nous entoure montrera la grande importance de ces questions.

LE CONSERVATISME

LE POINT DE DÉPART du conservatisme se trouve dans une certaine déférence envers les valeurs, les pratiques et les institutions héritées du passé et présumées être l'expression d'une sagesse acquise au fil du temps. C'est pourquoi, s'il n'est pas un ennemi *a priori* de tout changement, le conservateur s'en méfie et, plus encore, se méfie du changement radical et des promesses de lendemains qui chantent. Il pense que la transformation de la société devrait être progressive et soucieuse de garantir sa continuité. Plutôt que de le détruire, il faut préserver ce qui a patiemment été construit et mis à l'épreuve dans la durée. Le mot de Lucius Cary (1610-1643) pourrait

être la maxime qui résume le mieux cette position :
« Si un changement n'est pas nécessaire, alors il
est nécessaire de ne pas changer. » Edmund Burke
(1729-1797), témoin de la Révolution française,
a donné du conservatisme l'une de ses défenses
philosophiques les plus articulées. Il fait valoir que
chaque génération n'est qu'un gardien temporaire
de la société et qu'elle a, pour cette raison, des
devoirs envers les générations qui l'ont précédée et
envers celles qui la suivront. Elle doit donc traiter
avec prudence et respect l'héritage reçu et s'efforcer
de le transmettre. Des changements trop rapides et
trop brutaux, de grandioses utopies imaginées par
de dangereux rêveurs, risquent de détruire le tissu
social. Fort de ces principes, Burke affirme dès 1790
que la Révolution française débouchera sur la terreur
et la tyrannie.

Le conservatisme actuel est volontiers associé à
une vision économique libérale, voire ultralibérale.
Aux États-Unis, où elle est répandue, une telle
position est appelée néoconservatisme.

Les arguments avancés contre le conservatisme,
on l'aura deviné, font valoir que ce qui est hérité
du passé ne mérite pas toujours d'être conservé.
Entre mille exemples, pensez à l'esclavagisme ou
aux répartitions traditionnelles des rôles selon les
sexes. Cet héritage doit au contraire être, souvent
radicalement, aboli.

Plus généralement, les détracteurs du conservatisme avancent que la déférence envers le passé des
conservateurs conduit à ce que G. K. Chesterton
(1874-1936) appellera une « démocratie des

morts [4] ». Toujours selon ces détracteurs, le conservatisme conduit à un pessimisme intellectuel et moral qui freine tout effort d'amélioration de la société et d'imagination d'un monde plus juste. Les critiques du conservatisme contestent aussi que tout changement conduise nécessairement à la tyrannie et rappellent également que des transformations, même radicales, ont souvent eu, à court comme à long terme, des effets généralement reconnus comme bénéfiques.

Finalement, on argue que l'actuel néoconservatisme n'est qu'une arme idéologique au service des puissants, qui œuvrent au maintien de leurs privilèges et des inégalités qu'ils engendrent inévitablement.

Ces définitions posées, venons-en à présent au deuxième thème de ce chapitre : les théories du contrat social.

LA JUSTIFICATION DE L'AUTORITÉ POLITIQUE : LA TRADITION DU CONTRAT SOCIAL

CE SONT LES SOPHISTES, dès l'Antiquité, qui ont d'abord proposé des idées allant dans le sens de celles du contrat social, en suggérant que l'autorité politique résulte d'une convention. L'un d'eux, Lycophron, écrit ainsi : « La loi est une convention, une garantie de droits réciproques. » Mais il faudra attendre les XVIIe et XVIIIe siècles pour que les théories du contrat social soient de nouveau et pleinement déployées. Il en existe diverses formulations bien différentes, mais qui comptent parmi les plus répandues et influentes des justifications de l'autorité politique.

LA GAUCHE ET LA DROITE

MÊME SI ELLES ONT des contours imprécis, les notions de gauche et de droite sont aujourd'hui couramment employées pour désigner des familles d'opinions politiques. La gauche valoriserait le progrès, le changement et privilégierait un regard porté vers l'avenir ; la droite mettrait en avant un certain conservatisme, en privilégiant un regard porté vers le passé. Ces mots sont souvent utilisés de manière caricaturale. L'origine de ces vocables, qui proviennent de la Révolution française, est intéressante à connaître. Sous la monarchie, quand se tenaient des états généraux, la tradition a voulu que les nobles et les ordres privilégiés se placent à la droite du Roi et le tiers état à sa gauche. Quand l'Assemblée nationale se réunit, on poursuivit cette tradition, cette fois avec des députés conservateurs issus de la noblesse se plaçant à droite de la salle et les députés partisans du changement à gauche. C'est à la Restauration, et donc après 1814, que ces termes de gauche et de droite ainsi entendus deviendront d'usage courant.

Ces théories n'apparaîtront qu'à partir du moment où seront rejetées d'une part l'idée que l'ordre politique est naturel, d'autre part celle selon laquelle il est conforme à un plan divin.

La première idée était déjà avancée par Aristote, pour qui l'Homme est, par nature, « un animal politique ».

La deuxième, extrêmement influente et pouvant se concilier avec la première, fait dériver directement de Dieu l'autorité politique. « Le Roi est oint de Dieu », affirme une célèbre formule. Et saint Paul réclamait déjà, justifiant par avance l'absolutisme, que « toute personne soit soumise aux autorités supérieures ; car il n'y a point d'autorité qui ne vienne de Dieu, et les autorités qui existent ont été instituées de Dieu. C'est pourquoi celui qui s'oppose à l'autorité résiste à l'ordre que Dieu a établi, et ceux qui résistent attireront une condamnation sur eux-mêmes[5] ».

Tout cela change avec Thomas Hobbes, que nous avons déjà cité et qui est généralement reconnu comme celui qui remet à l'ordre du jour un argumentaire contractualiste, et ce, dans un livre paru en 1651 et intitulé *Léviathan*.

UN MONSTRE NÉCESSAIRE

LE NOM LÉVIATHAN vient de la Bible, qui appelle ainsi un gigantesque monstre marin. Pourquoi Thomas Hobbes (1588-1679), qui écrit durant le sanglant tumulte de la guerre civile en Angleterre (1641-1649), en a-t-il fait le titre de son célèbre ouvrage ? C'est que Hobbes imagine la vie des êtres humains dans un « état de nature » dans lequel n'existent ni institutions ni pouvoir politiques.

Il est important de noter ici que Hobbes ne prétend nullement décrire des événements historiques réels. Il nous convie plutôt à imaginer ce que seraient nos vies, même aujourd'hui, si on en soustrayait les institutions politiques. Les êtres humains, pense Hobbes, sont par nature égoïstes. Ils sont aussi égaux, en cela qu'ils partagent les mêmes désirs pour des biens qui sont en quantité limitée. Il s'ensuit un état de compétition et de conflit, au sein duquel il est même avantageux de tromper, de tuer, même sans raison, ne serait-ce que pour inculquer la peur et le respect. « Dans un tel état, dit Hobbes, il n'y a aucune place pour une activité, parce que son fruit est incertain ; et par conséquent aucune culture de la terre, aucune navigation, aucun usage de marchandises importées par mer, aucune construction convenable, aucun engin pour déplacer ou soulever des choses telles qu'elles requièrent beaucoup de force ; aucune connaissance de la surface de la Terre, aucune mesure du temps ; pas d'arts, pas de lettres, pas de société[6]. » L'homme est alors « un loup pour l'homme » et la vie de chacun, qui est une guerre contre tous, est « solitaire, misérable, dangereuse, brutale et courte » dès lors que rien ne fait obstacle à ses passions.

Notre nature nous pousse à poursuivre égoïstement nos propres intérêts, mais notre intérêt, rationnellement compris, serait de coopérer. Tel est le dilemme que perçoit Hobbes. Il est d'autant plus grand qu'il ne peut, selon lui, être simplement résolu par un engagement à coopérer que prendrait chacun, car il serait alors encore à l'avantage de chacun de ne pas coopérer dès que cela serait possible et avantageux. Par exemple, X s'engage à échanger un objet avec Y, mais il prend son bien sans rien donner en retour. Ceci perpétuerait infiniment le cycle de la vie « solitaire, misérable, dangereuse, brutale et courte ». « Des pactes sans l'épée ne sont que des mots », conclut Hobbes.

Pour rompre ce cercle vicieux, chacun doit renoncer à sa liberté naturelle au profit d'un tiers parti assez puissant pour faire respecter l'ordre et maintenir la sécurité. Ce tiers parti, c'est l'État, qui peut être un Parlement ou une monarchie, mais dont Hobbes insiste pour dire que son pouvoir doit être absolu. On dit, pour cette raison, que la doctrine de Hobbes est absolutiste.

QU'EST-CE QUE LA THÉORIE DES JEUX ?

Supposons que deux personnes, Jean et Thierry, ont été arrêtées par la police qui les soupçonne d'un crime grave, mais sans pouvoir le prouver. La police peut cependant prouver leur culpabilité pour un délit moins grave. On les interroge séparément, chacun étant dans une pièce différente. Chaque suspect peut avouer ou ne pas avouer le crime plus grave, mais il ignore ce que fera l'autre.

Si tous les deux se confessent, chacun fera une peine de prison de cinq ans. Toutefois, si aucun des deux ne se confesse, ils seront incarcérés pour un an (cette durée étant la peine prévue pour le délit moins grave que la police peut prouver). Mais on leur promet aussi que si l'un d'eux accuse l'autre, il sera libre, tandis que son partenaire écopera de dix ans de prison.

La théorie des jeux étudie des telles situations conflictuelles et cherche, en dressant une « matrice des gains », à déterminer la stratégie rationnelle optimale. Dans notre histoire, où chacun des « joueurs » peut coopérer avec l'autre ou le trahir, la matrice des gains est la suivante :

	JEAN NE CONFESSE PAS	JEAN CONFESSE
THIERRY NE CONFESSE PAS	TOUS DEUX FONT UN AN DE PRISON (GAGNANT – GAGNANT)	THIERRY FAIT DIX ANS DE PRISON JEAN EST LIBRE (PERTE MAJEURE,– GAIN MAJEUR)
THIERRY, CONFESSE	THIERRY EST LIBRE JEAN FAIT DIX ANS DE PRISON (GAIN MAJEUR – PERTE MAJEURE)	JEAN ET THIERRY FONT CINQ ANS DE PRISON (PERDANT – PERDANT)

La description de l'état de nature par Hobbes peut se comprendre en ces termes, qui sont en outre ceux dans lesquels se posent ces innombrables dilemmes qui apparaissent quand on doit choisir de coopérer, ou non, dans la poursuite de nos intérêts personnels qu'on cherche rationnellement à maximiser. On notera que dans le dilemme présenté, la poursuite par chacun de son seul intérêt maximisé, c'est-à-dire ne pas aller en prison, les conduit tous deux en prison pour cinq ans. Tandis que s'ils coopèrent et renoncent à leur intérêt personnel maximisé, ils obtiennent le meilleur résultat collectif, chacun écopant d'une seule année de prison. La théorie des jeux, exposée en 1944 par John Von Neumann (1903-1957) et Oskar Morgenstern (1902-1977), est devenue un puissant et indispensable outil dans les sciences sociales. C'est à elle que le mathématicien John F. Nash (1928-2015), rendu célèbre par le film *A Beautiful Mind*, a apporté ses plus importantes contributions scientifiques.

La paix et la sécurité, mais aussi la civilisation, les échanges, la culture ont donc comme condition qu'un monstre aux gigantesques pouvoirs ait l'autorité nécessaire pour les faire advenir. Ce monstre, ce Léviathan créé et maintenu en existence par contrat et convention, par artifice, c'est l'État. La position de Hobbes est pour cela appelée un artificialisme : « C'est l'art qui crée ce grand Léviathan, qu'on appelle république ou État [...], écrit-il, lequel n'est qu'un homme artificiel, quoique d'une stature et d'une force plus grandes que celles de l'homme naturel pour la défense et la protection duquel il a été conçu[7]. »

Hobbes, on le voit, a une conception franchement négative des êtres humains, et son absolutisme, antichambre de tous les despotismes, est détestable. Toutefois, sa théorie politique a l'immense mérite de penser l'ordre politique comme une création humaine et de placer l'individu au cœur de la philosophie politique.

La perspective qu'il ouvre, celle du contrat social, sera pour ces raisons sans cesse reprise. Elle inspire encore aujourd'hui bien des philosophes, le plus important étant John Rawls (1921-2002), que l'on retrouvera dans le prochain chapitre. Mais avant d'en arriver à lui, rappelons deux autres importantes formulations classiques de la théorie du contrat social.

LE LIBÉRALISME POLITIQUE DE JOHN LOCKE

JOHN LOCKE (1632-1704) part d'une vision moins noire et moins pessimiste des êtres humains et de l'état de nature, qui serait celui de l'abondance et au sein duquel règne déjà un ordre moral. Il propose en fin de compte un État dont la souveraineté est limitée, et qui a pour fonction de protéger les droits et la liberté des individus. Dans l'état de nature, estime Locke, nous sommes d'emblée, sur un plan moral, dotés de droits et d'obligations. Nous avons ainsi, tous et également, le droit à la vie, à la santé, à la liberté et à la propriété, toutes choses dont nous pouvons disposer à notre guise. Nous avons aussi, en vertu d'une « loi de la nature », l'obligation, que dicte la raison, de ne pas « nuire à un autre, par rapport à sa vie, à sa santé, à sa liberté, à son bien[8] ».

L'élément le plus singulier de cet exposé, par lequel Locke fait figure de père fondateur du libéralisme politique et de précurseur du libéralisme économique, est sa conception de la propriété.

Comme Hobbes avant lui, Locke lutte contre la théorie du droit divin. Son argumentaire fait néanmoins intervenir Dieu. C'est en effet Lui, le créateur du monde et des êtres humains, qui a donné à tous, en commun et également, la Terre et ses ressources. Si pour Hobbes le droit de propriété émanait de Léviathan et ne se constituait qu'à la sortie de l'état de nature où il ne pouvait exister faute de garantie légale, pour Locke, il existe un droit naturel de propriété dès l'état de nature.

Ce droit de propriété concerne d'abord notre propre corps. Il s'étend ensuite, et ce développement est crucial, à ce que nous avons transformé par notre travail et cela en vertu du fait que nous y avons, ce faisant, incorporé quelque chose de nous. Locke écrit : « Encore que la Terre et toutes les créatures inférieures soient communes et appartiennent en général à tous les hommes, chacun pourtant a un droit particulier sur sa propre personne, sur laquelle nul autre ne peut avoir aucune prétention. Le travail de son corps et l'ouvrage de ses mains, nous le pouvons dire, sont son bien propre. Tout ce qu'il a tiré de l'état de nature, par sa peine et son industrie, appartient à lui seul : car cette peine et cette industrie étant sa peine et son industrie propre et seule, personne ne saurait avoir droit sur ce qui a été acquis par cette peine et cette industrie, surtout s'il reste aux autres assez de semblables et d'aussi bonnes choses communes[9]. »

L'appropriation, en somme, fonde la propriété. Comment alors expliquer le passage à l'état de société depuis un état de nature aussi bénin, et dans lequel une « loi naturelle » assure le maintien et le respect de ces droits naturels inaliénables que sont la liberté et la propriété ? Locke répond qu'il s'agit d'instituer une loi commune afin de protéger chacun contre les toujours possibles agissements de certains contre la loi naturelle. Dans l'état de nature (mais aussi, dans l'état de société), il arrivera en effet que quelqu'un agisse contre les droits d'autrui (en le volant, en le blessant ou en l'assassinant, par exemple). Cette personne sera de la sorte lésée, et ne pourra plus faire usage de ses droits.

Lorsque cela se produit dans l'état de nature, la personne lésée peut certes en appeler à Dieu, mais, seule « juge de sa propre cause », elle ne peut autrement faire valoir ses droits, qui demeurent donc incertains, sauf à se faire justice soi-même. L'entrée en société, qui institue des « Juges et des Souverains sur la Terre », crée par la loi civile (qui est au fond un prolongement de la loi naturelle, qu'elle fait respecter) une société politique : « J'entends donc par pouvoir politique, écrit Locke, le droit de faire des lois, sanctionnées ou par la peine de mort ou, a fortiori, par des peines moins graves, afin de réglementer et de protéger la propriété ; d'employer la force publique afin de les faire exécuter et de défendre l'État contre les attaques venues de l'étranger : tout cela en vue, seulement, du bien public [10]. »

On le voit, l'état de société n'est plus ici en rupture avec l'état de nature, mais il en est, par convention et consentement contractuels, la continuité. Il assure le maintien des droits et obligations naturelles qui, sans toujours être respectés, prévalaient dans l'état de nature. L'État, en somme, est une institution nécessaire, garante de l'ordre et protectrice de la vie, de la liberté et de la propriété de chacun.

Locke met ainsi en avant deux idées qui auront un immense impact. Il avance d'abord qu'il existe des droits humains inaliénables et qu'il revient à l'autorité politique de protéger. Ensuite, il soutient que les êtres humains ont un droit de résistance face à un pouvoir qui outrepasserait ses mandats, notamment s'il met en péril la liberté et les droits qu'il est censé protéger. Certaines des critiques adressées à Locke méritent qu'on s'y arrête.

QU'EST-CE QUE L'HABEAS CORPUS ?

Le *Bill de l'Habeas Corpus* est un texte qui date de 1679. Il est donc antérieur aux écrits politiques de Locke, qui en fournissent toutefois une justification. Ce texte, en rappelant à chacun la propriété de son propre corps, est un interdit contre toute arrestation ou détention arbitraires. Moment important dans l'histoire des droits de la personne, il a aussi été un texte de loi majeur contre l'absolutisme. L'un de ses principaux architectes était Lord Shaftesbury, un protecteur de Locke.

On a vu plus haut comment celui-ci met des balises au droit de propriété acquise par le travail. Accumuler, certes, mais encore faut-il, dit-il, qu'il « reste aux autres assez de semblables et d'aussi bonnes choses communes ». Bien des choses se dissimulent ici. Pour commencer, Locke pense l'état de nature comme un état d'abondance, et cette limite assignée est donc bien lointaine.

Ensuite, la monnaie fait bientôt son apparition, c'est-à-dire, dira Locke cette « chose durable, que l'on peut garder longtemps, sans craindre qu'elle se gâte et se pourrisse ; qui a été établie par le consentement mutuel des hommes, et que l'on peut échanger pour d'autres choses nécessaires et utiles à la vie, mais qui se corrompent en peu de temps [11] ». Locke juge que ce nouveau prolongement de soi-même peut être accumulé sans restriction, prêté ou donné. Locke va en fait aller jusqu'à justifier la spéculation par le droit « naturel ».

La question est alors de savoir si, ce faisant, Locke, lui-même riche propriétaire, ne défend pas ici abusivement comme naturelles les prérogatives de la classe à laquelle il appartient. Il agirait en cela au prix de la méconnaissance des effets des inégalités sur la vie sociale, politique et économique des « contractants », et au nom d'un hypothétique droit naturel de spéculer et de thésauriser sans frein.

La pensée de Locke a grandement influencé les pères de la Révolution américaine. Cette influence est manifeste jusque dans la Déclaration d'indépendance, dans laquelle on lit : « Nous tenons pour évidentes pour elles-mêmes les vérités suivantes : tous les hommes sont créés égaux ; ils sont doués par le Créateur de certains droits inaliénables ; parmi ces droits se trouvent la vie, la liberté et la recherche du bonheur. Les gouvernements sont établis parmi les hommes pour garantir ces droits, et leur juste

pouvoir émane du consentement des gouvernés. »
Cependant, d'aucuns voudront également voir dans
l'histoire des États-Unis les effets prévisibles de
l'existence de ces énormes inégalités économiques,
puis politiques, que légitime le libéralisme de Locke.

Les mêmes rappelleront que les idées de Locke ont
aussi servi de justification à l'appropriation des terres
des Amérindiens par les Européens, qui travaillaient
et transformaient ce sol en propriété productive, lui
donnant ainsi la valeur de propriété.

JEAN-JACQUES ROUSSEAU ET LA VOLONTÉ GÉNÉRALE

PERSONNAGE SINGULIER, Jean-Jacques Rousseau
défend un contrat social bien différent de celui de ses
prédécesseurs. Sa spécificité se comprend au mieux à
partir de la conception qu'il se fait de l'état de nature.

L'une des idées fortes de la pensée de Rousseau est
que la civilisation, les arts et les sciences exercent sur
l'être humain une influence néfaste et corruptrice, en
un mot, dénaturante. Cette idée, inspirée en partie
du mythe du « bon sauvage », consiste moins à
attribuer la bonté originelle à l'homme naturel qu'à
le présenter comme n'étant ni bon ni mauvais et dans
un état qui précède la moralité elle-même.

À l'état de nature, les êtres humains vivent libres,
isolés, dans un état d'abondance et d'innocence et
ils n'ont de rapports que rares ou fortuits avec leurs
semblables. Ils sont en outre dotés de certaines
caractéristiques naturelles.

Ils possèdent avant tout un désir de conservation de soi que Rousseau appelle l'amour de soi. Ensuite, ils ressentent devant le malheur d'autrui une compassion qualifiée de pitié, qui les pousse à venir en aide à autrui. Ils possèdent enfin la perfectibilité, par quoi leurs facultés, dont la raison, se développeront et contribueront à les faire entrer en société.

L'homme a toutefois quitté l'état de nature et est entré en civilisation, où il dégénère et se dénature. S'agit-il d'un « funeste hasard » ? Comment se peut-il, pour reprendre ses mots célèbres, que quelqu'un, le premier, « ayant enclos un terrain, s'avisa de dire "Ceci est à moi" », « trouva des gens assez simples pour le croire » et fut ainsi « le vrai fondateur de la société civile » ? Rousseau ne le sait pas. Mais il insiste : « Que de crimes, de guerres, de meurtres, que de misères et d'horreurs n'eût point épargnés au genre humain celui qui, arrachant les pieux ou comblant le fossé, eût crié à ses semblables : "Gardez-vous d'écouter cet imposteur ; vous êtes perdus si vous oubliez que les fruits sont à tous et que la terre n'est à personne"[12]. »

JEAN-JACQUES ROUSSEAU
(1712-1778)

JEAN-JACQUES ROUSSEAU est né à Genève, au sein d'une famille calviniste. Sa mère meurt quelques jours après sa naissance. À 16 ans, il quitte sa ville natale et est recueilli en France par Madame de Warens, qui sera sa protectrice et sa maîtresse. Musicien, il pense un temps connaître le succès à Paris grâce à un système de notation musicale qu'il a conçu. Il se lie bientôt avec les Encyclopédistes. En octobre 1749, il rend visite à Diderot, emprisonné à Vincennes. C'est alors qu'il répond à la question posée par un concours, à savoir : « Si le rétablissement des sciences et des arts a contribué à épurer les mœurs. » Contre la *doxa* dominante, il soutient que, loin d'améliorer leurs mœurs, les arts et les sciences ont au contraire corrompu les hommes. Rousseau remporte le premier prix de ce concours avec le *Discours sur les sciences et les arts*, qui le rend célèbre.

La perspective critique envers le présumé progrès qu'il y déploie est l'un des éléments clés de son œuvre. Un autre est la place prépondérante qui y est accordée au sentiment et à l'exploration de sa propre subjectivité, par quoi Rousseau annonce le romantisme, comme on le découvre à la lecture, par exemple, de ses *Confessions* ou de ses *Rêveries du promeneur solitaire*.

Quelles institutions politiques pourraient permettre à l'humanité corrompue de se ressaisir ? *Le contrat social* veut répondre à cette question. Comment, au sein de nos institutions malsaines, élever malgré tout des êtres sains ? C'est la question abordée dans *Émile*, un classique qui révolutionne la pédagogie.

Harcelé, paranoïaque, exilé, brouillé avec tant de gens, Rousseau meurt en France, en 1778.

Ce passage à l'état de société signe le malheur de l'homme. Il n'a pu engendrer que des simulacres d'ordre politique oppressant et reposant sur de faux contrats. C'est cela que Rousseau veut corriger. Cependant, avant d'examiner ce qu'il propose, voyons ses griefs.

Dans le passage à l'état de société, l'amour de soi de l'être humain se mue en amour-propre. Rousseau le décrit comme une passion malsaine, faite du désir de paraître et de dominer, entretenue par une incessante et toujours insatisfaite comparaison de soi-même avec autrui. La pitié s'y mue en plaisir pris devant la contemplation du malheur d'autrui. Des désirs artificiels naissent et sont entretenus, tandis que les inégalités et les asservissements de toutes sortes se multiplient, interdisant à chacun de nous de devenir une personne saine.

Les régimes politiques existants, sans exception, sont selon Rousseau le fruit de ces dénaturations et les alimentent. Cette critique vaut même, selon lui, pour ces contrats que ses prédécesseurs, comme Hobbes, bien entendu, mais aussi comme Locke, ont élaborés, et qui devaient garantir la liberté de chacun. Rousseau pense que l'état de nature peint par Hobbes est, en fait, un état de société où les plus riches et les plus puissants invoquent un supposé état de guerre de chacun contre tous. Leur but est de mieux asservir leurs victimes, tout en assurant ne vouloir rien d'autre que les protéger. Un tel contrat reposant sur la force ne peut engendrer le droit. Quant au contrat lockéen, il suppose l'aliénation de la liberté naturelle de chacun et permet lui aussi l'inégalité et l'injustice. D'où la célèbre phrase qui ouvre *Le contrat social* : « L'homme est né libre et partout il est dans les fers. »

L'ambition de Rousseau est de concevoir un contrat qui garantisse la sécurité des personnes et des biens, ainsi que leur liberté au sein de la société. Il formule son projet comme suit : « Trouver une forme d'association qui défende et protège de toute la force commune la personne et les biens de chaque associé, et par laquelle chacun, s'unissant à tous, n'obéisse pourtant qu'à lui-même, et reste aussi libre qu'auparavant [13]. » Dans les termes dans lesquels il est posé, qui exigent que nous soyons à la fois libres et soumis à des lois, ce problème peut sembler insoluble. Nous verrons que Rousseau lui-même le tient pour largement insoluble en pratique. Il pense néanmoins lui avoir trouvé une solution théorique. La clé se trouve dans la notion de « volonté générale », à laquelle chacun se soumet. Comme celle-ci comprend la sienne, une liberté civile est constituée en même temps que l'égalité de tous est assurée. Les lois qui expriment la volonté générale sont aussi ce à quoi arrive la volonté individuelle quand elle se place du point de vue de l'intérêt général. Cette coïncidence donne naissance au citoyen, qui est à la fois celui qui donne la loi et qui s'y soumet. Par là, en se soumettant à la volonté générale, chacun ne se soumet qu'à lui-même.

Chacun de nous met en commun sa personne et toute sa puissance sous la suprême direction de la volonté générale ; et nous recevons encore chaque membre comme partie indivisible du tout. À l'instant, au lieu de la personne particulière de chaque contractant, cet acte d'association produit un corps moral et collectif, composé d'autant de membres que l'assemblée a de voix, lequel reçoit de ce même acte son unité, son moi commun, sa vie et sa volonté. Cette personne publique, qui se forme ainsi par l'union de toutes les autres, prenait autrefois le nom de *cité* et prend maintenant celui de *république* ou de *corps politique*, lequel est appelé par ses membres État quand il est passif, *souverain* quand il est actif, *puissance* en le comparant à ses semblables. À l'égard des associés, ils prennent collectivement le nom de *peuple*, et s'appellent en particulier *citoyens*, comme participant à l'autorité souveraine, et *sujets*, comme soumis aux lois de l'État [14].

Il faut souligner que si la volonté générale n'est pas la volonté individuelle, celle, limitée, de chacun d'entre nous pris isolément et qui veille à ses intérêts personnels, n'est pas non plus la somme de ces volontés, même dans l'éventualité où toutes aspireraient à la même chose. Expliquons cette idée par un exemple simple.

Il se peut que toutes les personnes d'une société veuillent ne payer aucun impôt. La somme de ces volontés souhaitant la même chose n'est cependant pas la volonté générale, qui est l'expression de ce qui est souhaitable pour la société dans son ensemble. Or, si personne ne paie d'impôts, il n'y aura pas de services publics, ce qui n'est pas dans l'intérêt du bien commun. La volonté générale souhaite donc qu'il existe des impôts et exige que chacun paie les siens.

Rousseau pensait que des démocraties directes, et donc non représentatives, composées d'un nombre limité de citoyens vertueux, relativement égaux de fortune et où des votes seraient pris sur toutes les questions concernant l'intérêt public, pouvaient espérer réaliser cet idéal, dont nous sommes et serons peut-être toujours bien éloignés. Rousseau écrit d'ailleurs : « S'il y avait un peuple de dieux, il se gouvernerait démocratiquement. Malheureusement, un gouvernement si parfait ne convient pas à des hommes [15]. »

QUELS SONT LES DEUX CONCEPTS DE LIBERTÉ DISTINGUÉS PAR ISAIAH BERLIN ? EN QUOI CETTE DISTINCTION EST-ELLE IMPORTANTE POUR ÉVALUER LE PROJET DE ROUSSEAU ?

DANS SA MONUMENTALE *Histoire de la philosophie occidentale*, rédigée pendant la Seconde Guerre mondiale, Bertrand Russell n'hésite pas à affirmer que les doctrines exposées dans *Le contrat social* « pointent vers la justification d'un État totalitaire », et à faire de Rousseau un précurseur de Staline et de Hitler ! Compte tenu de la nature à première vue profondément humaniste et généreuse du projet que déclare poursuivre Rousseau, de telles remarques, sous la plume d'un philosophe aussi éminent que Russell, sont très intrigantes. Elles expriment pourtant une position finalement assez répandue et qui se comprend mieux à la lumière de la distinction proposée par Isaiah Berlin (1909-1997) entre liberté négative et liberté positive.

La liberté négative est celle que l'on possède du fait que rien n'entrave notre action, qu'aucune force ou contrainte ne nous empêche de faire quelque chose. La liberté positive est celle qui correspond à la possibilité réelle d'accomplir certaines choses désirables. Pour que ces dernières libertés existent, il faut plus que l'absence de contrainte. En effet, des possibilités réelles doivent être présentes.

Une société fondée sur la liberté négative ne vous empêche pas, dès lors que vous ne limitez pas la liberté négative d'autrui, de poursuivre tel ou tel but. Votre liberté négative, en ce cas, est entière et à peu près sans limites. Cependant, il se peut aussi que la liberté positive dont vous disposez soit très limitée et retire sa substance à votre liberté négative. Par exemple, si vous êtes très pauvre, vous êtes entièrement libre, d'une liberté négative, de tenter de devenir riche. Mais vos chances sont probablement minces, surtout si vous n'avez pas pu étudier, créer des contacts, obtenir un prêt, etc. Ces éléments sont ceux qui donnent de la substance à la liberté positive. Pour les réunir, l'État pourra intervenir et créer des conditions qui lui sont favorables.

Sur cette pente, cependant, l'intervention de l'État dans la vie des gens est susceptible de menacer la liberté négative elle-même. Si, en outre, persuadé de connaître la véritable définition d'une vie bonne, l'État entreprend de créer les conditions de sa réalisation par chacun, nous voici au seuil des régimes les plus détestables qui soient. Russell, dans le passage cité plus haut, associait une telle défense de la liberté positive à Rousseau et en faisait le précurseur de ces régimes. Est-ce justifié ? La question, qui est aussi passionnante qu'importante, demeure chaudement débattue. Russell et d'autres suggèrent que la réponse est affirmative et que l'enseignement à en tirer est crucial. Rousseau aborde en effet la délibération et la prise de décision politiques selon un modèle ultrarationaliste. Celui-ci a l'improbable prémisse qu'il existe une bonne réponse à tout problème politique, et que le citoyen, qui accepte de renoncer à sa perspective singulière et limitée pour se placer du point de vue du bien commun, aboutit immanquablement à la position qui est celle de la volonté générale, elle-même infaillible. Dès lors, celui qui n'y parvient pas erre et se prive de liberté positive. Rousseau le reconnaît, et il écrira ces mots terribles : « Afin donc que ce pacte social ne soit pas un vain formulaire, il renferme tacitement cet engagement, qui seul peut donner de la force aux autres, que quiconque refusera d'obéir à la volonté générale, y sera contraint par tout le corps ; ce qui ne signifie autre chose sinon qu'on le forcera à être libre, car telle est la condition qui, donnant chaque citoyen à la patrie, le garantit de toute dépendance personnelle, condition qui fait l'artifice et le jeu de la machine politique, et qui seule rend légitimes les engagements civils, lesquels, sans cela, seraient absurdes, tyranniques, et sujets aux plus énormes abus [16]. » La Révolution française débouchant sur la Terreur, Robespierre, grand lecteur de Rousseau, déclarera, forgeant de la sorte un effrayant oxymore : « Le gouvernement de la Révolution est le despotisme de la liberté contre la tyrannie [17]. »

Outre cette impraticabilité, c'est bien entendu autour de cette notion de « volonté générale » que les critiques les plus sévères ont été formulées à l'endroit de Rousseau. Est-il raisonnable de penser que tout désaccord politique trouve une solution unique, une solution que chacun puisse en outre trouver lui-même, en faisant abstraction de ses intérêts personnels ? Que ferait-on, même si c'était le cas, de ceux et celles qui ne trouvent pas cette solution favorable au bien commun ou qui refusent de s'y soumettre ? Certaines questions parmi les plus profondes de la philosophie politique sont soulevées par ces hypothèses. Pour les traiter, il faut faire intervenir le concept de liberté positive, distincte de la liberté négative.

DIX POINTS À RETENIR

1 Libéralisme, socialisme, anarchisme, nationalisme et conservatisme sont autant de familles d'idées politiques distinctes et influentes.

2 Le libéralisme est aujourd'hui la position dominante au sein des sociétés occidentales : il se décline en libéralisme politique et libéralisme économique.

3 Le socialisme a d'abord été une réaction aux excès du capitalisme durant la révolution industrielle. Il a ensuite pris des formes variées et demeure une position politique influente.

4 L'anarchisme est un socialisme anti-autoritariste et antiétatique doublé d'une revendication de très grande liberté.

5 Le nationalisme prend lui aussi diverses formes, depuis le nationalisme ethnique et fermé jusqu'à des variétés plus libérales et ouvertes.

6   Respectueux du passé et méfiant devant
le changement social, le conservatisme
soutient que « si un changement n'est
pas nécessaire, alors il est nécessaire de ne
pas changer ».

7   Le contrat social de Hobbes considère
l'État comme un Léviathan nécessaire
pour sortir d'un état de nature au sein
duquel l'homme est un loup pour
l'homme.

8   Le contrat social de Locke se présente
comme un moyen de garantir le respect
des droits naturels des individus.

9   Le contrat social de Rousseau prétend
permettre la découverte et l'expression
de l'infaillible volonté générale qui n'est
ni la volonté d'un individu ni la somme
des volontés individuelles.

10 La philosophie politique de Rousseau –
ainsi que certains des plus graves enjeux
qu'elle soulève – s'éclaire à la lumière
de la distinction entre liberté positive et
liberté négative.

LA PHILOSOPHIE POLITIQUE : LA NATURE DU POLITIQUE ET QUELQUES THÉORIES POLITIQUES CONTEMPORAINES INFLUENTES

NOUS POURSUIVONS ICI notre étude de la philosophie politique. Nous avons rappelé dans le chapitre précédent quelques-uns des efforts de justification de l'autorité déployés au sein de la tradition du contrat social. Nous allons à présent examiner des analyses du politique qui, plutôt que de tenter d'en légitimer l'existence, cherchent surtout à en cerner la nature. Karl Marx, Nicolas Machiavel et Michel Foucault nous fourniront trois illustres exemples de ce type d'analyse.

Des efforts pour justifier l'autorité politique et pour défendre un idéal politique juste se poursuivent néanmoins aujourd'hui encore. Nous le verrons en rappelant d'abord la célèbre théorie de la justice avancée par John Rawls (1921-2002), puis les réactions qu'elle a suscitées de la part des libertariens, des communautaristes et des féministes. Ces théories politiques contemporaines s'efforcent toutes d'articuler des valeurs politiques essentielles, comme la justice, l'égalité et la liberté. On constatera alors que des désaccords politiques fondamentaux peuvent résulter de la manière dont leurs relations sont envisagées. Nous amorçons notre réflexion en nous penchant sur les idées défendues par Marx.

L'ÈRE DU SOUPÇON : LE POLITIQUE COMME MASQUE ET REFLET

ON COMPREND MIEUX ce que va avancer Karl Marx (1818-1883) en se rappelant qu'il se veut le triple héritier d'un matérialisme qu'il reprend à son contemporain Feuerbach (1804-1872), de la méthode dialectique et d'un historicisme qu'il reprend à Hegel et, finalement, d'une reconnaissance de la très grande importance de l'économie pour la compréhension d'une formation sociale. Cette dernière idée de Marx est tirée cette fois de sa fréquentation des économistes, notamment anglais, qui l'ont précédé.

La résultante de ces influences s'appelle le matérialisme historique. Il s'agit d'un matérialisme parce que cette position théorique considère qu'on ne comprendra pas une société à partir du simple examen de ses institutions juridiques, du type d'État ou des formes générales de la pensée qu'on y trouve. Marx appelle tout cela la superstructure. Au contraire, il faut d'abord examiner la base matérielle, l'économie d'une société. C'est ce que Marx appelle son infrastructure et, au lieu de société, il préférera parler de mode de production. Il s'en explique par ces mots célèbres : « Dans la production sociale de leur existence, les hommes entrent en des rapports déterminés, nécessaires, indépendants de leur volonté, rapports de production qui correspondent à un degré de développement déterminé de leurs forces productives matérielles. L'ensemble de ces rapports de production constitue la structure économique de la société, la base concrète sur laquelle s'élève une superstructure juridique et politique et à laquelle correspondent des formes de conscience sociales déterminées. Le mode de production de la vie matérielle conditionne le processus de vie social, politique et intellectuel en général. Ce n'est pas la conscience des hommes qui détermine leur être, c'est inversement leur être social qui détermine leur conscience [1]. »

Ce matérialisme distingue donc une infra-structure, composée d'un état donné du développement des forces productives et des rapports sociaux de production qu'ils définissent, sur laquelle s'élève une superstructure, comprenant des rapports juridiques et des formes de la conscience. On comprend en ce sens l'importance qu'y prend l'économie et la dette contractée par Marx envers les précurseurs de l'économie politique.

Le matérialisme de Marx est aussi historique. C'est que Marx soutient que les forces productives se développent avec le temps et que leur développement engendre à son tour des transformations de toute la société. C'est ici que Marx est le plus profondément héritier de la dialectique hégélienne. Un complexe mouvement anime en effet tout mode de production, sa base matérielle influant sa superstructure et celle-ci, en retour, exerçant aussi une influence, quoique moindre, sur l'infrastructure. Ainsi, les idées qu'ont les humains sont conditionnées par les conditions économiques, donc objectives, dans lesquelles ils vivent. Celles-ci se transforment alors que les forces productives se développent et que se manifeste la lutte qui oppose les classes sociales, véritable moteur de l'histoire. À des transformations sociales qui sont autant d'adaptations et de réajustements plus ou moins importants, finit par succéder un bouleversement complet du mode de production. Cette révolution rend dominante la classe jusqu'alors dominée. C'est ainsi que la bourgeoisie a succédé à la noblesse. S'institue ensuite une nouvelle organisation juridique et de nouveaux modes de pensée qui permettent à la nouvelle organisation économique de s'étendre. De contradictions surmontées en contradictions surmontées, Marx prévoit l'avènement d'une société sans classes, communiste, qui recevra de chacun selon ses capacités et donnera à chacun selon ses besoins.

L'analyse du politique, de l'État, de l'appareil juridique et même des « formes générales de la pensée » que propose Marx a comme catégorie centrale celle d'idéologie, ce mot ayant un sens particulier chez lui. C'est un concept majeur et riche, appelé à être abondamment utilisé dans toutes les sciences sociales. Il désigne des ensembles plus ou moins systématisés de pensées, d'idées et de représentations et qui tendront, à une époque donnée, à se donner comme allant de soi et à être admises comme telles. Elles sont relatives à l'infrastructure économique, qui les conditionne et dont elles sont en ce sens le reflet ; mais elles en sont aussi le masque, puisqu'elles occultent l'aliénation et l'oppression qui s'y poursuit.

Le marxisme est en ce sens une philosophie politique du soupçon. Derrière les vertueuses proclamations des institutions dominantes et de leurs représentants, il invite à chercher à déceler le mensonge intéressé et la mise en place de moyens de perpétuer l'injustice.

Mais à l'idéologie dominante s'oppose aussi, peu à peu, l'idéologie de la classe dominée, destinée à la supplanter, d'abord dans l'économie, puis dans la superstructure. C'est ainsi qu'une lutte idéologique se poursuit en parallèle à la lutte économique.

LE POLITIQUE EN FACE ?

POUR MARX, le pouvoir politique est un instrument au service d'une classe et il faut, derrière les apparences, en décoder la réalité et la signification véritables. Certains philosophes ont cependant considéré que non seulement le pouvoir n'a aucune de ces angéliques et illusoires justifications par quoi on a tenté de le légitimer, mais aussi qu'il est carrément arbitraire. Il se fait obéir parce qu'il est capable de se faire obéir, il se fait respecter, non parce qu'il serait respectable, mais parce qu'il impose qu'on le respecte.

Deux œuvres, celle ancienne de Machiavel et celle récente de Michel Foucault, illustreront cette singulière perspective, qui se veut réaliste, sur le politique.

MACHIAVEL : LE POLITIQUE ENTRE VIRTÙ ET FORTUNA

« ÉPICURIEN », « CARTÉSIEN » et « platonique » en sont des exemples, mais la liste des philosophes dont le nom est passé dans la langue usuelle est bien courte. Cette consécration du dictionnaire a également été accordée à Nicolas Machiavel, dont le nom italien est Niccolò di Bernardo dei Machiavelli (1469-1527), dont nous allons ici étudier le maître ouvrage, intitulé *Le Prince*. Ce philosophe nous a en effet légué « machiavélique », « machiavélisme », « machiavélien », sans oublier le nom « machiavel ».

Tous ces mots ont des connotations nettement péjoratives, et ils évoquent le manque de scrupule, le recours à l'artifice, à la ruse, à la tromperie et au mensonge. Tous pointent, en somme, vers cette formule immoraliste par laquelle on résume souvent ce qu'on pense être le véritable message de Machiavel : « La fin justifie les moyens. »

« *Murderous Machiavel* », disait Shakespeare, et nombreux sont ceux qui ont partagé ce sévère jugement. Le philosophe Bertrand Russell (1872-1970) a de son côté décrit *Le Prince* comme un « manuel pour gangsters ». Cette sévérité est-elle justifiée ? À vous d'en juger.

Machiavel est né à Florence et sa vie se déroule au cœur vibrant de la Renaissance. Dès 1498, il entre dans la vie publique et sert la cité comme ambassadeur. Le 29 août 1512, les Médicis reviennent à Florence, qu'ils avaient quittée dix-huit ans auparavant, et abolissent aussitôt la république. À compter de cette date, le sort s'acharne sur Machiavel, qui sera démis de ses fonctions, arrêté et torturé. Il s'en tire avec la vie sauve, mais profondément blessé, dans sa chair et dans ses ambitions. Il se retire alors dans une petite propriété qu'il possède près de San Casciano, où il rédige un livre, *Le Prince*, dont il espère qu'il le fera rentrer dans les bonnes grâces des Médicis. Ce qu'il a appris durant ses diverses missions diplomatiques va lui en fournir la matière première, et il entend faire profiter les dédicataires de l'ouvrage de ses précieuses et terribles leçons. Quelles sont-elles ?

Les humains sont lâches, cupides, méchants, trompeurs, instables et déraisonnables. Pour les gouverner, l'appel à la raison ne saurait donc en aucun cas suffire. La force et la ruse, voire le mensonge, la violence et la cruauté pourront être indispensables.

Machiavel n'est pas un apologiste aveugle de ces choses qui heurtent la moralité conventionnelle. Toutefois, il pense que le Prince ne saurait être limité par elle et, s'il est avisé, il saura, avec intelligence, courage, ruse et prudence, faire usage de ces moyens au moment opportun. Tout cela est mis au service des seules fins qu'il doit viser, qui sont de conquérir le pouvoir, de s'y maintenir et de l'accroître.

Il arrive dès lors que l'efficacité de l'action politique ait l'immoralité et le mal comme condition. En ayant recours aux moyens qui s'imposent, un prince fait preuve de ce que Machiavel appelle *virtù*, qu'il ne faut surtout pas confondre avec la vertu. Avec la *fortuna*, la *virtù* forme le couple central des concepts du réalisme politique de Machiavel. Nous avons vu ce qu'est la *virtù*, cette détermination à agir pour les fins visées et en prenant pour cela les moyens qui s'imposent. Quant à la *fortuna*, elle est l'instabilité du réel, le hasard, l'imprévu et l'inattendu, qui guettent même le plus « virtueux » des princes.

Machiavel a été très fortement impressionné par la carrière de Cesare Borgia (1475-1507), fils du pape Alexandre VI, qui est à ses yeux une incarnation exemplaire du Prince pratiquant les *virtùs*. Machiavel raconte par exemple comment, la Romagne étant occupée, Borgia trouve la région divisée entre les mains de petits seigneurs qui l'ont pillée et rendue dangereuse pour ses habitants. Il y nomme un homme expéditif qui, au prix d'une grande violence, fait le ménage et ramène l'ordre. Cela fait, « pensant qu'une telle autorité n'était plus nécessaire, et que même elle pourrait devenir odieuse, il établit au centre de la province un tribunal civil, auquel il donna un très bon président, et où chaque commune avait son avocat. Il fit bien davantage : sachant que la rigueur d'abord exercée avait excité quelque haine, et désirant éteindre ce sentiment dans les cœurs, pour qu'ils lui fussent entièrement dévoués, il voulut faire voir que si quelques cruautés avaient été commises, elles étaient venues, non de lui, mais de la méchanceté de son ministre. Dans cette vue, saisissant l'occasion, il le fit exposer un matin sur la place publique de Césène, coupé en quartiers, avec un billot et un coutelas sanglant à côté. Cet horrible spectacle satisfit le ressentiment des habitants, et les frappa en même temps de terreur [2] ».

Borgia échoua pourtant dans sa tentative d'unification de l'Italie et, ainsi, la *fortuna* eut raison de sa *virtù*. Cet épisode est peut-être aux yeux de Machiavel exemplaire, auquel cas la théorie des conditions du succès politique qu'il propose serait aussi celle des conditions de son inéluctable échec.

Avec *Le Prince*, Machiavel arrache le politique à la moralité traditionnelle et en autonomise le champ. Il reviendra à ses commentateurs de débattre non seulement de la plausibilité et de la valeur de prémisses aussi sombres et de conseils d'un tel cynisme, mais aussi de supputer les véritables intentions de l'auteur : et s'il n'était finalement qu'ironique ? Et s'il avait cherché à informer les peuples de la réalité du pouvoir qui pèse sur eux ?

MICHEL FOUCAULT ET L'OMNIPRÉSENT POUVOIR

Le philosophe Michel Foucault (1926-1984) a proposé le mot « archéologie » pour désigner la méthode de travail qui sera la sienne, surtout dans la première partie de son œuvre, alors qu'il s'intéresse plus particulièrement aux sciences humaines. L'archéologue, au sens où Foucault emploie ce mot, étudie les discours des sciences humaines, en les rapportant à tout l'arrière-plan de structures et de pratiques, particulièrement sociales, économiques et politiques, qui en conditionnent la forme et le contenu.

La démarche se veut descriptive plutôt que normative, elle s'intéresse à dire ce qui est, et non à juger si cela est vrai ou non. Cette description débouche sur l'identification de vastes périodes historiques marquées par la convergence des discours et des pratiques que Foucault nomme des épistémè.

Les premiers travaux de Foucault porteront sur *l'Histoire de la folie à l'âge classique* (1961). Puis, dans *Surveiller et punir* (1975), Foucault applique cette méthode archéologique à retracer des aspects de la morale moderne à partir de ce qu'il nomme une histoire politique des corps. En fait, l'objectif de ce travail est de mettre en évidence l'émergence d'un complexe scientifique et judiciaire si présent, selon Foucault, dans la société de surveillance qui est la nôtre.

Traditionnellement, on l'a vu, la philosophie politique s'est efforcée de déterminer la nature, le sens, voire l'origine du pouvoir. Elle s'est également efforcée de le légitimer. Foucault se contente de le décrire par toute une série de pratiques et de stratégies précisément localisées, qui se coordonnent pour aboutir à la production de corps et d'esprits dociles et soumis. La notion de pouvoir qui est mise en jeu ici est singulière. Le pouvoir ne loge pas dans des institutions qui en sont dépositaires et qui l'incarnent (comme l'État ou l'armée), mais il désigne plutôt, comme le disent Bartholy et Despin, une « situation stratégique complexe dans une société donnée ». Il s'ensuit que « le pouvoir est partout [...], il est immanent à toutes les pratiques sociales, autrement dit, il est, par avance, dans la médecine, par exemple, ou dans l'enseignement, comme il était autrefois dans la magie ou la théologie [3] ».

QU'EST CE QUE LE PANOPTICON ?

Jeremy Bentham (1748-1832) est le fondateur de l'utilitarisme. Le « Panopticon » (le mot est composé du grec *pan*, « tout », et *optikos*, « relatif à la vue ») est le modèle type de la prison comme mécanisme de surveillance et de punition. Chez Foucault, ce type de prison deviendra une métaphore de la société de surveillance. Foucault écrit que son effet majeur est d'« induire chez le détenu un état conscient et permanent de visibilité qui assure le fonctionnement automatique du pouvoir. Faire que la surveillance soit permanente dans ses effets, même si elle est discontinue dans son action ; que la perfection du pouvoir tende à rendre inutile l'actualité de son exercice[4] ».

L'essai *Surveiller et punir* étudie d'abord le pouvoir de punir, et les analyses qu'on peut y lire sur la mise en place du « pouvoir scientificojudiciaire » sont bien connues. Au commencement, le pouvoir s'empare du corps, le marque littéralement, le blesse, le dépèce, puis l'expose à la vue de tous. Mais bientôt, assure Foucault, apparaissent les limites et les dangers de telles pratiques. D'abord, parce que la nature tyrannique du pouvoir s'y montre trop explicitement, ensuite parce que les spectateurs en viennent à tenir comme légitime, y compris par eux-mêmes, de « faire ruisseler le sang ». C'est alors que la prison et tout le système scientifico-judiciaire apparaissent, et avec eux de nouvelles stratégies du pouvoir, de nouveaux mécanismes de contrôle et d'assujettissement. Inspirées en partie de la réorganisation des armées telle qu'elle se réalise à partir du XVIIe siècle, ces nouvelles modalités du pouvoir signent, selon Foucault, l'avènement d'un modèle disciplinaire militaire. C'est qu'elle provient justement d'une conception militaire de la société, qui exerce son pouvoir au moyen d'un contrôle minutieux des gestes, des déplacements, de l'emploi du temps, etc.

QUELQUES THÉORIES POLITIQUES CONTEMPORAINES

LES ANALYSES QUI PRÉCÈDENT ne doivent pas laisser croire que la philosophie politique récente ait abandonné le travail conceptuel et les ambitieuses synthèses qui la caractérisaient à l'époque classique. Il n'en est rien, comme nous allons à présent le constater.

LE LIBÉRALISME DE RAWLS

PLUS QUE TOUT AUTRE OUVRAGE, *A Theory of Justice*[5] (*Théorie de la justice*) de John Rawls, paru en 1971, a revivifié le champ de la philosophie politique au XXe siècle.

Rawls cherche à concilier les droits individuels, dont la défense est typiquement associée au libéralisme classique, et un idéal égalitariste de répartition de biens, typiquement associé aux traditions socialistes. Cette réconciliation des idéaux de justice et d'égalité est proposée sous le concept de justice comme équité et elle est exprimée dans les deux célèbres principes de la justice que Rawls met de l'avant.

Pour arriver à eux, Rawls trouve son inspiration justement dans la tradition du contrat social, à laquelle il demande de quoi fonder non plus l'autorité politique, mais une théorie de la justice et la structure de base d'une société juste. Il expliquera :

« Mon but est de présenter une conception de la justice qui généralise et porte à son plus haut niveau d'abstraction la théorie bien connue du contrat social [...]. L'idée qui nous guidera est plutôt que les principes de la justice valables pour la structure de base de la société sont l'objet de l'accord originel. Ce sont les principes mêmes que des personnes libres et rationnelles désireuses de favoriser leurs propres intérêts, et placées dans une position initiale d'égalité accepteraient et qui selon elles définiraient les termes fondamentaux de leur association. Ces principes doivent servir de règle pour tous les accords ultérieurs, ils spécifient les formes de la coopération sociale dans lesquelles on peut s'engager et les formes de gouvernement qui peuvent être établies. C'est cette façon de considérer les principes de la justice que j'appellerai la théorie de la justice comme équité[6]. »

Le scénario contractualiste que propose Rawls se déploie de la manière suivante. Au point de départ, il nous est demandé d'imaginer des personnes que Rawls nomme des « partis ». Ils se trouvent dans ce qu'il appelle une « position originelle », derrière un « voile d'ignorance ». Ces partis ignorent en effet quelle sera leur place dans la société, ou la classe sociale à laquelle ils appartiendront. Ils ne savent d'ailleurs rien de leur genre, de leur personnalité, de leurs goûts, de leurs talents, de leur fortune, de leur intelligence, de leur éducation, etc. Ils ont cependant accès à tout le savoir accumulé en psychologie, en politique, en économie, de même qu'aux diverses conceptions concurrentes de la justice. Rawls décrit en outre ces partis comme étant libres, égaux et raisonnables, c'est-à-dire dotés d'un sens de la justice et de la capacité de faire et de réviser des plans de vie.

De quels principes de la justice conviendront ces partis ? Rawls pense que leur situation fera en sorte qu'ils seront impartiaux et se placeront dans une perspective universelle. Au terme de leurs délibérations, ils reconnaîtront l'importance primordiale de pouvoir librement choisir un projet de vie. Ils conviendront aussi qu'il est nécessaire, pour le poursuivre, d'avoir accès à des revenus et à de la richesse, à des opportunités et aux conditions rendant possible le respect de soi. Rawls appelle tout cela les biens premiers.

Finalement, Rawls pense que ces partis conviendront de deux grands principes.

Le premier principe est le principe de liberté-égalité, qu'il formule ainsi :

1. Chaque personne a droit à un système pleinement adéquat de liberté de base égale pour tous, compatible avec un même système de liberté pour tous ; et dans ce système, la juste valeur des libertés, et de celles-là seulement, doit être garantie.

   Le deuxième principe, qui se divise en deux, comprend le principe de différence, qui, comme on va le voir, admet des inégalités justes :

2. Les inégalités sociales et économiques doivent satisfaire deux conditions :

a) Elles doivent procurer le plus grand bénéfice aux membres les plus désavantagés de la société.

b) Elles doivent être liées à des fonctions et à des positions ouvertes à tous, dans des conditions d'égalité équitable des chances.

Rawls insiste pour dire que le premier de ces principes, par quoi sa pensée appartient au libéralisme, a une absolue priorité sur le deuxième. La liberté, notamment politique, d'expression, de conscience, de propriété individuelle, est le premier des biens, et la justice consiste d'abord en son égale répartition. On ne saurait donc, à aucun prix, y porter atteinte.

Le deuxième principe, qui concerne la distribution des biens premiers autres que la liberté, est ce par quoi la réflexion de Rawls s'éloigne de cette tradition libérale ou, du moins, la modifie et l'enrichit considérablement. S'il est pour cette raison plus original, ce principe a aussi été l'objet de bien vives controverses. Rawls y défend en somme que les inégalités sont justes si elles améliorent la situation des plus désavantagés et dès lors qu'elles sont obtenues au terme d'un processus où il existe une véritable égalité des chances. Cette stratégie est appelée « maximin », parce qu'elle cherche à maximiser ce que retirent d'une distribution ceux qui ont le minimum. Il nous en avait prévenus et, on le constate, la réflexion de Rawls est très abstraite. Cependant, on peut raisonnablement voir, dans ce qu'il met en avant, une défense philosophique des régimes sociaux-démocrates, et en particulier d'une réelle égalité des chances, de l'accès de tous à l'éducation et d'une fiscalité progressiste et redistributrice. Les critiques qui lui ont été adressées ont engendré certains des plus importants et des plus significatifs débats de la philosophie politique contemporaine. Nous rappellerons brièvement ici trois avenues où celle-ci s'est engagée dans le dialogue entretenu dans l'œuvre de Rawls.

LE LIBERTARISME

DANS *ANARCHY, STATE AND UTOPIA* (1974), rédigé en réponse à Rawls, Robert Nozick (1938-2002) écrit : « Les individus possèdent des droits et il y a des choses qu'aucune personne ou aucun groupe ne peut leur faire sans, par là, violer ces droits[7]. » Le cœur de la position libertarienne est contenu dans ce passage, dès lors que l'on précise que ces droits sont ici définis en termes lockéens, soit le droit à la vie, à la liberté et à la propriété.

La position anarchiste typique est que l'exercice de ces droits est immanquablement violé par l'État, et que celui-ci est donc illégitime. Nozick examine cette possibilité, mais conclut finalement que, pour garantir ces droits, les personnes concernées trouveront raisonnable de confier à des agences privées le soin d'assurer le respect de la propriété et des contrats, le maintien de leur liberté, la sécurité des biens et des personnes, et de punir ceux qui violent les droits et libertés naturelles des autres. Ces agences privées seront en concurrence entre elles, et Nozick conclut que celles qui offrent la meilleure protection au meilleur coût finiront par éliminer toutes les autres. Ce qui reste sera un État minimal, légitime parce que ses services sont consentis et payés par ceux qui les utilisent. Nozick est donc ce qu'on appelle un minarchiste, soit un partisan d'un État minimal. Toute autre forme d'État, toute autre extension de ses fonctions ou prérogatives serait illégitime dès lors qu'elle supposerait le prélèvement sur les personnes d'une taxe non consentie par eux. Selon Nozick, une telle taxe viole leur droit à la propriété et constitue de ce fait un vol ou du travail forcé. La position de Nozick s'oppose à toute forme de redistribution des richesses par l'État, qu'il s'agisse d'une redistribution de nature socialiste ou d'une redistribution libérale, comme ce que propose Rawls. Parlant de son idéal communiste à venir, Marx disait qu'il serait un état de la société où elle recevrait « de chacun selon ses capacités » et donnerait « à chacun selon ses besoins ». L'idéal libertarien est résumé par Nozick par la maxime : « De chacun comme ils se choisissent, à chacun comme ils sont choisis. »

Nozick rappelle que les biens ne tombent pas du ciel, qu'ils nous arrivent chargés d'un passé, ayant été possédés, donnés, échangés. Ceux qui les possèdent ont sur eux un droit que rien ne peut violer sans commettre d'injustice, si du moins la propriété de ces biens est elle-même juste. Comment savoir si c'est bien le cas ? La théorie de l'habilitation nous permet de décider.

Selon la théorie de l'habilitation, une personne peut prétendre avoir un droit sur un bien si son acquisition initiale est juste, et si les échanges subséquents par lesquels il change de propriétaires sont justes. En d'autres termes, comme l'écrit Nozick : « Toute chose, quelle qu'elle soit, qui naît d'une situation juste, à laquelle on est arrivé par des démarches justes, est elle-même juste[8]. » L'un des arguments de Nozick les plus célèbres en faveur de cette analyse de la justice et contre toute forme de redistribution des biens veut montrer que chacune est incompatible avec la liberté. Il nous demande d'imaginer une société parfaitement conforme à un idéal qui nous convient de distribution des biens. Dans cette société hypothétique, il existe un joueur de basket-ball très doué appelé Wilt Chamberlain (qui était de fait un joueur remarquable et très célèbre aux États-Unis à l'époque de Nozick). Il se trouve qu'un million de personnes sont disposées, librement, à le payer 25 cents pour le voir jouer. À la fin des matchs joués, Wilt Chamberlain possède, disons, 250 000 $. Nozick soutient que cette distribution, obtenue dans le respect des conditions légitimes de l'habilitation, est juste. Vouloir empêcher qu'elle advienne, ou la modifier pour retourner à la position de départ, impliquerait de la part de l'État de violer les droits des personnes concernées.

Les plus intéressantes critiques adressées à Nozick concernent les notions de droit et de propriété qu'il met de l'avant dans sa conception de la justice. Les conclusions semblent à beaucoup bien peu sensibles aux besoins d'autrui, et en particulier aux plus démunis. D'où viennent ces droits ? Pourquoi sont-ils les seuls qui soient reconnus ? Les êtres humains n'en ont-ils pas d'autres ? De plus, la théorie suppose une acquisition initiale juste. Mais comment savoir que c'est le cas ? Et jusqu'où faut-il remonter pour trouver une acquisition initiale ? La théorie implique-t-elle que le pays natal de Nozick appartienne illégalement à ses actuels habitants qui l'ont injustement acquis des Premières Nations ?

Noam Chomsky suggère une intéressante expérience de pensée. Supposons, dit-il essentiel-lement, qu'une personne ou un groupe de personnes parvienne, dans le respect des conditions d'habili-tation admises par des théories comme celle de Nozick, à s'emparer exclusivement d'un bien indispensable à la vie, de sorte que tous les autres n'ont d'autre choix que de se vendre à ces personnes pour survivre : selon la théorie en question, cette situation serait déclarée juste. Or, cela nous semble profondément contre-intuitif.

LE COMMUNAUTARISME ET LES POLITIQUES DE L'IDENTITÉ

LE POINT DE DÉPART DE RAWLS, on l'a vu, ce sont ces individus abstraits, privés de tout attribut autres que cognitifs et rationnels, et qu'il a placés derrière un voile d'ignorance. La position communautariste nie qu'un tel point de départ soit théoriquement possible. Elle suggère qu'en occultant des dimensions importantes de la vie humaine et du politique, ce point de départ se révèle aussi trompeur qu'indésirable. Le point de départ de l'analyse du monde social et politique qui convient, suggère-t-on ici, ne peut se trouver dans des individus envisagés comme des atomes isolés, rationnels et autosuffisants. Il se trouve plutôt dans des individus appartenant d'emblée et nécessairement à des groupes, à des institutions et à des traditions – en un mot, à des communautés. À ce titre, tous les individus sont aussi d'emblée imprégnés des modes de vie, des valeurs, des traditions qui s'y trouvent et qui, seuls, peuvent dessiner un horizon de sens à partir duquel ces gens pensent, agissent et choisissent. L'individu de Rawls est, en ce sens, une trompeuse fiction en nous donnant à penser la société et le politique à partir d'un individu soustrait à toute appartenance.

Charles Taylor (1931), Alasdair MacIntyre (1929) et Michael Walzer (1935) sont parmi les plus influents théoriciens communautaristes. Dans le cadre de plus en plus pluraliste des sociétés contemporaines, leurs travaux ont notamment contribué à développer une plus grande sensibilité aux effets différenciés qu'ont sur les diverses communautés des politiques publiques se voulant neutres. Le multiculturalisme, en tant que cadre des politiques publiques adopté dans divers pays, leur doit une part importante de sa justification philosophique. On notera qu'on utilise aussi parfois le mot « communautariens » pour désigner ces penseurs.

LE FÉMINISME

Il est arrivé à Claude Lévi-Strauss (1908-2009), le célèbre ethnologue, de décrire un village dont tous les adultes hommes étaient absents comme étant... déserté !

Une telle remarque nous choque aujourd'hui et, grâce aux féministes, tout ce qu'elle peut avoir de discriminatoire nous saute désormais aux yeux. Cependant, ce passage n'a, semble-t-il, pas été reconnu comme outrageant par Lévi-Strauss et de nombreux lecteurs. Cela incite à supposer chez eux une espèce de point aveugle interdisant de voir certaines choses, et ne permettant d'en voir certaines autres que sous un certain angle. Ce point aveugle, on l'aura compris, est lourd d'innombrables biais, inacceptables aussi bien scientifiquement que moralement. Cette petite anecdote permet de deviner l'ampleur du travail qu'en quelques décennies les féministes œuvrant dans des disciplines traditionnelles, tout particulièrement dans les Humanités, ont dû accomplir. On distinguera deux aspects de cet imposant travail, qui a été réalisé en philosophie, en littérature, en histoire et dans d'autres disciplines. Il s'agit d'abord de montrer comment des points aveugles, androcentristes, avaient produit une vision partielle et partiale d'un objet d'études, occultant ainsi une part significative de l'expérience humaine. Il s'agit ensuite de produire des concepts permettant de dire ce qui avait été tu jusque-là.

C'est ce qui s'est produit en philosophie politique. Les féministes y ont notamment souligné les effets discriminatoires de la distinction entre la sphère publique, celle dans laquelle œuvraient majoritairement les hommes, et la sphère privée, celle où ont traditionnellement été confinées les femmes.

LES NOUVEAUX DÉFIS ET L'AVENIR DE LA PHILOSOPHIE POLITIQUE

LA PHILOSOPHIE POLITIQUE reste l'une des branches les plus vivantes de la philosophie et elle s'engage aujourd'hui dans de nouvelles avenues. Entre tant d'autres questions, la problématique environnementale, urgente, et par quoi se pose la question de notre rapport à la nature, y occupe une place de plus en plus importante. De même, la globalisation du monde pose à l'échelle planétaire la question des rapports que nous entretenons les uns avec les autres.

DIX POINTS À RETENIR

1   Dans le cadre de son matérialisme historique, Marx distingue l'infrastructure et la superstructure des modes de production. L'État et les institutions juridiques et politiques ont une fonction idéologique d'occultation qu'il est crucial de décoder.

2   Le réalisme politique de Machiavel analyse froidement les actions du Prince avec les concepts de *fortuna* et de *virtù*, et les évalue à l'aune de leur succès ou de leur échec.

3   Foucault pratique une méthode archéologique et décrit la mise en place du pouvoir scientifique et judiciaire dans nos sociétés de surveillance.

4   Le Panopticon de Bentham en offre une métaphore.

5   Rawls propose un idéal de justice comme équité.

6   Il pose pour cela deux principes auxquels parviendront selon lui des « partis » placés derrière un voile d'ignorance.

7   La position libertarienne de Nozick part d'une conception lockéenne des droits et aboutit à un minarchisme.

8   Les communautaristes insistent sur l'appartenance des individus à des communautés comme point de départ de toute analyse politique.

9   Le féminisme a notamment contesté la distinction que la philosophie politique androcentrée avait établie entre sphère publique et sphère privée.

10   Écologie et globalisation fournissent et continueront de fournir bien des sujets de réflexion à la philosophie politique.

CHAPITRE 10

L'ESTHÉTIQUE ET LA PHILOSOPHIE DE L'ART

DEPUIS CES PEINTURES RUPESTRES qui ornent certaines des grottes où ont vécu nos ancêtres jusqu'aux plus récentes prouesses de l'architecture, l'humanité n'a cessé de produire ce que nous appelons de l'art. L'esthétique est la branche de la philosophie qui prend l'art pour objet. Toutefois, elle ne s'y limite pas, étant donné que la nature peut elle aussi être source de beauté. On doit donc en ce sens distinguer la stricte philosophie de l'art de l'esthétique. Partant de ces deux objets principaux que sont l'art et le beau, l'esthétique pose de nombreuses et fascinantes questions. Ces questions portent sur leur nature. Qu'est-ce que l'art ? Et la beauté ? Elles portent aussi sur la signification et la valeur de l'art et de l'expérience esthétique. Quelles sont leur place et leur signification dans l'expérience humaine ? Peuvent-ils nous apprendre quelque chose sur nous-mêmes ou sur le monde qui nous entoure ? Nous verrons ici certaines des réponses apportées à ces questions par quelques-uns des plus importants théoriciens de l'esthétique. Notre parcours comprend les trois étapes suivantes : nous abordons d'abord la question de la définition de l'art ; puis celle de la nature de la beauté et de l'expérience esthétique ; enfin, celle de la valeur de l'art et de l'expérience esthétique.

LES MOTS « ART » ET « ESTHÉTIQUE »

LE MOT « ESTHÉTIQUE » a été proposé au sens qu'il a aujourd'hui vers 1750, par Alexander Baumgarten (1714-1762). Il provient du grec *aisthanomai*, qui signifie « percevoir par les sens ».

Le mot « art » vient du latin *ars*, voulant dire « façon d'être ou d'agir », traduisant en fait le mot grec *technè*. Au Xe siècle, « art » signifiait « moyen » ou « méthode », avant de désigner l'activité professionnelle et manuelle de ceux qu'on nommera dès lors des artisans.

C'est à compter du XVIIe siècle que s'imposent progressivement les idées devenues aujourd'hui usuelles d'œuvres d'art, de beaux-arts et d'artiste. Celui-ci est alors reconnu comme un créateur distinct de l'artisan.

SUR LA NATURE DE L'ART

IL EXISTE UN TRÈS GRAND NOMBRE d'objets ou de manifestations que nous appelons de l'art. En font partie, entre autres, des films, des œuvres musicales de toutes sortes, des représentations théâtrales, de l'opéra, des montages, des collages, des peintures, des sculptures, des bâtiments, des spectacles de danse. Et cette liste s'allongerait encore si on décidait d'y inclure des éléments qui ne font pas l'unanimité, mais que plusieurs souhaiteraient y voir inscrits, comme la bande dessinée, la chanson, la cuisine, ou encore certaines œuvres polémiques et contestées de l'art contemporain.

Le problème de la définition de l'art consiste à tenter de dire ce qui fait que nous pouvons regrouper toutes ces choses sous une même catégorie. Il constitue un enjeu fondamental en esthétique, mais aussi une question autour de laquelle se nouent bien des polémiques, notamment parce que l'identification de ce qui est de l'art permettra éventuellement de décider de ce qui n'en est pas.

Comme c'est si souvent le cas en philosophie, c'est Platon qui lance les débats.

PLATON ET LA *MIMÊSIS*

La théorie platonicienne de l'art est complexe et ne se limite absolument pas à ce que nous en dirons ici, en nous basant sur certains passages de *La République*. Soulignons d'abord que Platon écrit à une époque où, on l'a vu, « art » ne désigne pas encore explicitement ce que nous entendons aujourd'hui par ce mot. Cependant, les idées qu'il défend dans cet ouvrage ont eu un grand retentissement dans l'histoire de la réflexion sur l'art, et sur l'art lui-même. Elles ont aussi le grand mérite pédagogique de nous conduire directement à certaines des plus brûlantes questions de l'esthétique. Dans les pages que nous examinons, Platon définit l'art comme *mimêsis*, c'est-à-dire comme une représentation imitative. Il entend moins, par cela, définir l'art selon une perspective naturaliste ou réaliste que de rappeler le statut épistémologique de l'œuvre d'art et son rapport au vrai et au réel.

On s'en souvient : pour Platon, les Idées seules sont réelles. Les objets concrets du monde sensible ne sont, quant à eux, que de pâles copies des Idées. Il faudra donc au philosophe, avec effort et douleur, s'en arracher pour atteindre le Vrai par la contemplation des Idées. Or, qu'est-ce que l'art, de ce point de vue ?

Les œuvres d'art, répond Platon, ne sont pas même des copies d'Idées, mais de simples copies de copies d'Idées, des simulacres. Elles ne sont pas même des imitations du réel tel qu'il est, mais des imitations de ce qu'il paraît. Ce ne sont que des idoles, des fantasmes, qui composent une illusion « éloignée de trois degrés de la vérité ». Cette illusion est aussi séductrice, fascinante et, par là, redoutable par les effets qu'elle suscite en nous, en nous éloignant de la recherche de la vérité. Platon est d'ailleurs bien placé pour le savoir lui qui, en plus d'être un géant de la philosophie, était incontestablement un génie littéraire. Il s'ensuit cette fameuse condamnation platonicienne de l'art et l'idée de sa nécessaire régulation au sein de la Cité, deux thèmes sur lesquels nous reviendrons plus loin.

Cette idée de *mimêsis* cerne indiscutablement un aspect de l'art, et elle a pour cette raison été très influente. Cependant, on découvre vite que si l'on peut parfaitement concevoir certaines formes d'art – par exemple, le théâtre, la peinture, la sculpture ou même la poésie – comme *mimêsis*, bien des choses sont, sans l'ombre d'un doute, des œuvres d'art qui n'imitent rien. L'art non figuratif (art abstrait), la musique (à tout le moins, certaines œuvres musicales) et l'architecture en sont des exemples. De plus, certaines productions sont des imitations, parfois même parfaites, comme une photographie de photomaton, mais il ne nous viendrait pas à l'idée de les appeler des œuvres d'art ou même des œuvres d'art ratées.

L'idée d'art comme imitation est donc suspecte, tout particulièrement quand elle conduit à envisager l'art comme imitation de la beauté naturelle. À y regarder de plus près, en effet, une œuvre d'art, même imitative, ne se contente pas d'imiter servilement et parfaitement son « modèle » en cherchant à en traduire la beauté par des techniques humaines. C'est que bien des œuvres d'art ont pour thème des objets anodins et pas particulièrement « beaux », comme des souliers de paysan ou une chaise, par exemple. Parfois même, le sujet présente des choses laides ou viles, par exemple la jalousie d'Othello, qui le conduit au meurtre de son épouse Desdémone chez Shakespeare, ou l'hypocrisie de Tartuffe chez Molière. Pour créer ce qu'on appellera de l'art, l'artiste impose un point de vue. Pour cela, il peut fort bien tourner le dos au réel, le bousculer, le reconfigurer...Bref, l'artiste fait bien plus que simplement refléter le réel.

Mieux encore, on peut, en un sens et sans pousser trop loin un goût excessif pour le paradoxe, affirmer qu'il arrive que ce soit la nature qui imite l'art, plutôt que l'inverse. Qui, par exemple, devant un paysage provençal, n'a pas pensé apercevoir un Van Gogh ? Et l'écrivain Oscar Wilde faisait remarquer que c'est aux impressionnistes que nous devons de voir, comme nous le voyons désormais, le brouillard londonien. La formule de Kant prend ici tout son sens : « L'art, disait-il, ce n'est pas la représentation d'une belle chose, mais la belle représentation d'une chose [1]. »

Avec le romantisme, à compter de la fin du XVIIIe siècle, une autre conception philosophique de l'art, appelée expressionnisme, va se déployer.

L'EXPRESSIONNISME

ON PEUT DÉFINIR cette nouvelle perspective sur l'art en disant qu'il n'y est plus considéré comme la représentation du monde extérieur, mais plutôt comme l'expression ou la traduction d'un monde intérieur. Ce monde est celui de l'artiste, tout particulièrement celui de sa vie intérieure et de ses émotions. Et l'art, qui est l'expression de ces émotions, serait en outre capable de les produire chez le spectateur.

Sans être à strictement parler un philosophe, le grand écrivain russe Léon Tolstoï (1828-1910) va développer une telle conception expressionniste de l'art. Selon lui, l'art est l'un des deux grands moyens humains de communication. En effet, si, par la pensée, nous communiquons des idées à nos semblables, par l'art, nous leur communiquons des émotions.

DE CÉLÈBRES APHORISMES SUR L'ART

IL EST DES FORMULES SUR L'ART qui parviennent si bien à condenser certaines idées le concernant qu'elles sont devenues célèbres. En voici quelques-unes :

« Le hasard aime l'art, l'art aime le hasard. » (ARISTOTE)

« Quelle vanité que la peinture, qui attire l'admiration par la ressemblance des choses dont on n'admire pas les originaux ! » (BLAISE PASCAL)

« Il n'est pas de serpent, ni de monstre odieux/ Qui par l'art imité ne puisse plaire aux yeux. » (NICOLAS BOILEAU)

« Demandez à un crapaud ce que c'est que la beauté [...]. Il vous répondra que c'est sa crapaude, avec deux gros yeux ronds sortant de sa petite tête, une gueule large et plate, un ventre jaune, un dos brun. » (VOLTAIRE)

« L'art renseigne l'homme sur l'humain, éveille des sentiments endormis, nous met en présence des vrais intérêts de l'esprit. » (HEGEL)

Pourtant, ici encore, et quoique le critère expressionniste cerne quelque chose qui est familier à quiconque fréquente des œuvres d'art, des questions aux redoutables difficultés surgissent. Quelles émotions une œuvre produit-elle ou doit-elle produire pour être une œuvre d'art ? Comment y parvient-elle ? En quoi cette expression est-elle une bonne chose ? De plus, il nous apparaît rapidement que certaines œuvres ne produisent pas, ni n'ambitionnent d'exprimer ou de produire, des émotions. Ces œuvres créées par des techniques aléatoires, comme les poèmes ou les collages surréalistes, en sont de bons exemples. À l'opposé, des artefacts, qui cherchent explicitement à produire des émotions et y parviennent, ne sont pas considérés, avec raison, comme des œuvres d'art : que l'on songe ici, par exemple, à des affiches de propagande.

LA DÉFINITION INSTITUTIONNELLE OU PROCÉDURALE

ON A PROPOSÉ d'autres définitions de l'art, bien entendu. Par contre, on leur a, chaque fois, opposé des contre-exemples qui ont invité à douter de leur généralité. Pendant ce temps, l'art lui-même ne cessait de se renouveler et de prendre des formes différentes et parfois si étonnantes qu'on pouvait douter qu'il soit possible de le cerner conceptuellement. Considérez à ce sujet ce que Marcel Duchamp appellera des *ready-made*. Des objets ordinaires et banals, comme une pelle à neige ou une roue de bicyclette, sont ici, sans transformation aucune ou après une transformation minimale, élevés au rang d'œuvre d'art en vertu du simple choix arbitraire de l'artiste. Ces objets sont exposés, des copies sont faites et vendues, des ouvrages leur sont consacrés. L'art, selon les défenseurs de cette définition institutionnelle ou procédurale, est simplement ce qui est reconnu comme tel par les personnes et les institutions dont la reconnaissance permet justement à un objet d'être reconnu comme une œuvre d'art. « Une œuvre d'art est un *artefact* auquel on a conféré le statut d'objet méritant d'être soumis à l'appréciation dans le monde de l'art », écrit George Dickie. Cette théorie est séduisante, à tout le moins pour certaines œuvres d'art. Cependant, en ne disant rien ni des raisons pour lesquelles on choisit d'élever au statut d'œuvre d'art un objet ni de la validité de ces raisons, elle semble condamnée à ne jouer pour la définition de l'art qu'un rôle secondaire. Considérez par exemple l'un de ces nombreux désaccords entre experts sur la question de savoir si un objet donné constitue, ou non, une œuvre d'art. La définition institutionnelle de l'art dirait que c'est le cas si les personnes et les institutions dont la reconnaissance permet à un objet d'être reconnu comme une œuvre d'art le reconnaissent comme tel et qu'elle n'en est pas une dans le cas contraire. Ce qui n'est manifestement pas d'un grand secours.

Devant ces désolants résultats, certains ont cru que le philosophe Ludwig Wittgenstein pourrait aider à sortir la philosophie de l'art de cette impasse conceptuelle.

UNE SOLUTION INSPIRÉE DE WITTGENSTEIN

L'UNE DES IDÉES DE WITTGENSTEIN pourrait bien être la clé permettant de résoudre l'énigme du difficile problème de la définition de l'art. Elle suggère que c'est la recherche même d'une « essence » de l'art qui est erronée et vouée à l'échec. Pour faire comprendre ce point de vue, considérons avec Wittgenstein l'exemple du concept de jeu.

Nous utilisons couramment le mot « jeu ». On pourrait penser que c'est parce que tous les jeux ont quelque chose en commun. Ainsi, la philosophie classique nous inviterait à chercher leur essence. Au lieu de cela, Wittgenstein nous invite à regarder comment on utilise ce mot, pour désigner quoi et dans quels contextes. Et il suggère qu'on constate alors que le mot prend ses sens dans ces diverses situations, et qu'il ne désigne aucune caractéristique qu'auraient en commun tous les jeux. Certains jeux sont compétitifs, d'autres non. Certains jeux se jouent seuls, d'autres à deux, d'autres en équipe. Certains ont un ou des gagnants, d'autres pas. « Prenez le temps de regarder comment nous utilisons le mot », dit Wittgenstein. Et je vous invite à mon tour à le faire sérieusement.

QUI ÉTAIT WITTGENSTEIN ?

LUDWIG WITTGENSTEIN (1889-1951) appartient indéniablement à ce cercle très restreint des plus importants et influents penseurs du dernier siècle. Il est un personnage extrêmement singulier, à la très forte et très riche personnalité. Il est tour à tour un étudiant en ingénierie dessinant des plans de moteur d'avion, un étudiant en philosophie, un logicien, un héros de guerre, un jardinier dans un monastère, un enseignant au primaire, un architecte et un professeur d'université. Wittgenstein est né dans une famille autrichienne richissime. À la mort de son père, il renonce à la plus grande part de son héritage et donne le reste, jugeant que la possession d'argent est incompatible avec une vie consacrée à la philosophie. Une autre chose qui est absolument remarquable chez lui est qu'il soit, ce qui est rarissime, l'auteur de deux œuvres, je veux dire par là qu'il est le créateur de deux systèmes philosophiques radicalement différents, et tout aussi imposants et influents l'un que l'autre. C'est ainsi que, tout jeune homme encore, il développe les idées contenues dans le *Tractatus logico-philosophicus*, puis... cesse de faire de la philosophie, jugeant qu'il a résolu tous les problèmes qu'il voulait résoudre. Il se consacre alors aux différents métiers énumérés plus haut.

Mais Wittgenstein remet bientôt en question les idées contenues dans son livre et il retourne à l'université pour y faire, de nouveau, de la philosophie. Les influentes idées qu'il développe alors sont exposées dans ses *Investigations philosophiques*, qui paraissent après sa mort.

Vous arriverez alors peut-être à la même conclusion que lui, à savoir qu'il n'y a pas de critère unique qui caractérise tous les jeux. On trouve plutôt un complexe réseau de similarités qui s'entrecroisent en une irréductible variété de similitudes et de différences. L'ensemble des éléments désignés par ce même mot, « jeu », offre simplement un « air de famille », et compose en ce sens une « famille ».

On l'aura compris : le concept d'art serait un tel concept, et il n'y a pas d'essence de l'art. Si Wittgenstein a raison, il vaudrait mieux renoncer à produire une définition générique de l'art et plutôt observer ce que nous nommons ainsi, dans les nombreuses, complexes et variées pratiques humaines où ce mot est couramment utilisé.

C'est un peu ce que nous ferons à présent en abordant notre deuxième thème, celui du beau et de l'expérience esthétique.

LE BEAU ET LA NATURE DE L'EXPÉRIENCE ESTHÉTIQUE

QUE SE PASSE-T-IL quand nous décrétons que quelque chose est beau ? Et quelle est la valeur d'un tel jugement ? Comme nous allons le découvrir, les analyses de Hume et de Kant offrent des réponses célèbres et contrastées à ces questions.

LES ANALYSES EMPIRISTES DE HUME

LES INFLUENTES ANALYSES de David Hume se trouvent dans *Of the Standard of Taste* (*De la norme du goût*), paru en 1757. Hume part de ces désaccords qui se manifestent si souvent dans les jugements de goût, et cherche à en comprendre la nature et la signification.

Tout le monde a fait l'expérience de tels désaccords. C'est ainsi, par exemple, qu'un tel trouve géniaux les derniers enregistrements de John Coltrane, qu'un autre les juge médiocres et qu'un troisième assure n'y entendre que bruit, fureur et confusion. Qui a raison ? Et y a-t-il seulement quelqu'un qui puisse avoir raison en ces matières ?

Pour le savoir, en bon empiriste, Hume part de ce que l'expérience nous apprend.

Pour commencer, nous observons que les jugements de goût varient considérablement entre individus, cultures et époques. Comment expliquer ce phénomène ? Hume avance une position appelée le subjectivisme esthétique. La beauté ne réside pas tant dans l'objet lui-même décrété beau, mais plutôt dans la réponse qu'elle produit chez un sujet donné. La beauté n'est pas une qualité inhérente aux choses elles-mêmes, pense Hume, elle existe dans l'esprit qui la contemple, et chaque esprit perçoit une beauté différente. La grande diversité des réactions esthétiques trouve ici une explication, car elle tient précisément à ce que ces propriétés qui font que nous les trouvons beaux ne soient pas inhérentes aux objets.

On pourra alors être tenté de dire qu'il convient de se taire et qu'on ne saurait, comme on le dit couramment, discuter des goûts et des couleurs. Pourtant, remarque Hume, nous observons aussi une certaine uniformité, voire une quasi-universalité dans certains de ces jugements. C'est ainsi que le sens commun n'accorde pas un grand crédit à celui qui ne reconnaît pas que telle œuvre, considérée comme un chef-d'œuvre, est supérieure à telle autre, jugée ne présenter aucun intérêt. Pour prendre un banal exemple, le génie de Bach est reconnu par tous, et son œuvre est unanimement tenue pour supérieure à la ritournelle accompagnant la dernière publicité de bière.

Peut-on concilier ces deux données de l'expérience en apparence contradictoires, soit la variété des jugements esthétiques et leur convergence ? Hume va chercher à le faire en négociant une sorte de moyen terme lui permettant d'éviter ce plat relativisme selon lequel tout se vaut et auquel le subjectivisme semble pourtant conduire.

Pour cela, il fait remarquer que si l'effet psychologique est bien le point de départ du jugement de goût, il n'en est pas l'entièreté, puisque ce jugement attribue aussi à l'objet quelque chose de distinct de l'effet qu'il a sur nous.

Cet objet semble avoir été conçu justement pour produire cet effet, ce qui suggère qu'il existe des « règles de l'art » en vertu desquelles sont produits ces sentiments subjectifs. Il convient donc de revoir ce subjectivisme dont nous avons fait notre point de départ et de préciser que la beauté est ce sentiment éprouvé par la contemplation d'objets produits selon des règles éprouvées par expérience, qui produisent généralement cet effet. *Généralement*, insiste Hume, puisque ces jugements et les sentiments sur lesquels ils portent sont d'une nature subtile, et sont éminemment dépendants des circonstances et de l'état d'esprit de l'observateur. Et c'est pourquoi les règles et les principes à partir desquels nous jugeons sont eux-mêmes instables et non définitifs.

Nous voici donc de nouveau devant ces désaccords dans les jugements de goût. Mais Hume, ici encore, évite la pente relativiste, cette fois en suggérant que les principes du goût sont bien universels. Cependant, rares sont ceux qui les possèdent tant ils demandent d'éducation et d'exercice. C'est ce que rappellent les conditions de l'exercice du jugement esthétique qu'il propose. Hume en distingue cinq :

la délicatesse du goût, qui est le type de discernement qui est engendré quand l'entendement se mêle au sentiment; la pratique, qui est la culture, par l'exercice, de la délicatesse du goût; la comparaison de divers objets et de divers degrés de beauté; l'absence de préjugé; le bon sens.

Ceux et celles qui satisfont à ces conditions sont les véritables juges du goût, et leurs verdicts réunis sont la norme. Bien plus qu'à notre simple réaction psychologique subjective devant une œuvre, c'est à ces juges que nous devrions nous en remettre en matière de goût. C'est donc, en fin de compte, vers eux qu'il conviendrait, selon Hume, de se tourner pour savoir quoi penser des derniers enregistrements de John Coltrane.

L'alternative classique à cette position est déployée par Kant.

KANT ET L'ANALYTIQUE DU BEAU

KANT PART LUI AUSSI de l'observation de cette tension remarquée par Hume, qu'il baptise antinomie du goût : le jugement esthétique est bien subjectif, car il exprime mon goût, mais il exprime aussi autre chose en attribuant une propriété, la beauté, à l'objet. Il est donc distinct du jugement de connaissance et du jugement moral, et appelle une analyse propre.

Kant refuse cependant de suivre Hume dans la voie empiriste qu'il a tracée. Hume, on l'a vu, ramène l'art à la découverte par expérience de procédés et de règles qui tendent à plaire à notre constitution. Il définit en outre le jugement esthétique valable comme celui que prononcent des gens qui sont habitués, par l'expérience, à en formuler. Kant propose plutôt de distinguer dans ce jugement lui-même, complexe mélange de cognition et de sentiment, des éléments qui sont comme autant de moments d'élucidation du beau et du fonctionnement singulier de ce jugement qui attribue de la beauté à un objet.

Il en dénombre quatre, donnés en autant de formules, et qui sont reliés aux quatre entrées de la table des catégories : qualité, quantité, relation et modalité. À chaque fois, comme on va le voir, Kant met en évidence le statut quelque peu paradoxal du jugement esthétique qui unit subjectivité et universalité en désignant comme beau un objet donné.

Sur le plan de la qualité, le jugement esthétique est caractérisé par ce que Kant appelle une satisfaction désintéressée. Devant l'œuvre d'art, en effet, je ne m'attends pas qu'elle satisfasse mes désirs, mes besoins ou mes tendances : je ne demande pas à une nature morte de me donner de l'appétit, ou au nu d'éveiller le désir sexuel. La contemplation et la satisfaction que l'on tire de la contemplation esthétique sont, en ce sens, désintéressées et impersonnelles.

Sur le plan de la quantité, le jugement esthétique se caractérise par une universalité sans concept. Kant veut dire par là que ce jugement esthétique, qui ne décrit pas une propriété objective du monde, dès lors qu'il est désintéressé, nous fait néanmoins saisir l'objet contemplé sur un plan distinct, et que ce jugement aspire à n'être pas simplement subjectif. Pour comprendre ce que Kant veut dire ici, il faut rappeler qu'il distingue entre le jugement qui porte sur l'agréable et celui qui porte sur le beau. Le premier cas est celui où un désir ou une tendance a été satisfait par un objet, par exemple, mon appétit par ces champignons, que j'ai savourés. Vous pouvez, de votre côté, les avoir détestés et il n'y aura nul conflit entre nous, simplement une différence de goût subjectif. Cependant, soutient Kant, le jugement esthétique, celui qui porte sur le beau, contient en lui-même la tacite affirmation qu'il vaut pour tous et qui témoigne de son universalité. Celle-ci ne peut se prouver, certes, mais au moins peut-elle s'éprouver. C'est pourquoi, pour rappeler une célèbre distinction kantienne, si on ne peut trancher d'éventuels désaccords esthétiques en disputant, comme on le ferait en physique ou en mathématiques, au moins est-il possible d'en discuter. Dans le cas du goût des champignons de tout à l'heure, une telle discussion semblerait inutile et dérisoire. En art, où le jugement esthétique se donne comme valant pour tous, de telles discussions non seulement ont du sens, mais elles sont aussi, comme on le constate, fréquentes.

QUELLES SONT LES QUATRE FORMULES DE KANT ?

KANT RÉSUME SON ESTHÉTIQUE par les quatre fameux énoncés suivants :

Le beau est l'objet d'un jugement de goût désintéressé.

Le beau est ce qui plaît universellement sans concept.

Le beau est la forme de la finalité d'un objet en tant qu'elle est perçue dans cet objet sans représentation d'une fin.

Est beau ce qui est reconnu sans concept comme l'objet d'une satisfaction nécessaire.

Sur le plan de la relation, le jugement esthétique est une finalité sans fin. L'harmonie que l'œuvre ou le bel objet réalise n'est en effet au service d'aucune autre fin qu'elle-même. Et lorsque nous ressentons devant lui une finalité, un achèvement, c'est sans en avoir de concept.

Sur le plan de la modalité, enfin, ce qui est beau est reconnu comme l'objet d'une satisfaction néces-saire. La nécessité dont il est question n'est ni celle, théorique, des lois naturelles, ni celle, pratique, de la moralité. C'est une nécessité que Kant nomme

« exemplaire », puisqu'elle affirme « la nécessité de l'adhésion de tous à un jugement, considéré comme un *exemple* d'une règle universelle que l'on peut énoncer ». En décrétant beau un objet dans les conditions que nous venons de décrire, mon jugement présuppose un principe universel, dont mon jugement particulier sur cet objet particulier fournit un exemple.

Hume ou Kant expliquent-ils de manière satisfaisante la nature du jugement esthétique ? Répondent-ils, l'un ou l'autre, de manière satisfaisante au défi de la variété des jugements de goût ? Il vous reviendra d'en décider. Pour le moment, venons-en au troisième et dernier sujet de ce chapitre.

LA VALEUR DE L'ART ET DE L'EXPÉRIENCE ESTHÉTIQUE

Cette fois encore, c'est avec Platon que nous amorcerons notre réflexion.

LA CONDAMNATION DE L'ART PAR PLATON

On a vu pour quelles raisons épistémologiques Platon critiquait l'art, cette représentation par trois fois éloignée du réel. Cette critique conduit le Platon de *La République* à une forte condamnation de l'art. En effet, il décrète celui-ci coupable de représenter les dieux de manière inappropriée, coupable de nous détourner de la recherche de la vérité et, enfin, coupable d'induire en nous des émotions incompatibles avec une vie guidée par la raison.

Pour toutes ces raisons, Platon souhaite que les poètes soient chassés de la Cité idéale qu'il imagine, et demande que l'art qui y est pratiqué soit fortement réglementé par l'État.

Cette conclusion, qui suscite en nous des images de régimes totalitaires pratiquant à haute échelle la censure, ne peut manquer de choquer. Une lecture plus approfondie de Platon replacera ces idées dans leur contexte historique, et aussi dans tout ce qu'il dit par ailleurs de l'art dans son œuvre. Mais il n'est pas impossible de penser que Platon ne dit pas ici quelque chose de substantiellement différent de ce que préconisent ces parents qui contrôlent l'accès de leurs enfants à la télévision ou à différentes formes d'art.

Quoi qu'il en soit, son élève Aristote réagira contre cette critique en se portant à la défense de l'activité artistique.

ARISTOTE ET LA CATHARSIS

IL EST ÉCLAIRANT DE PENSER au couple que constituent Platon et Aristote, à l'idéalisme de l'un et au réalisme de l'autre, comme illustrant diverses tendances métaphysiques et philosophiques récurrentes dans l'histoire de la pensée humaine. C'est précisément le cas avec leurs réflexions sur l'art.

Aristote fait d'abord remarquer que l'imitation est une chose qui vient naturellement aux êtres humains qui, dès l'enfance, la pratiquent et y prennent plaisir. Elle a par ailleurs d'indéniables vertus pédagogiques, car c'est bien souvent en imitant que nous apprenons. L'art, qui est imitation, Aristote en convient, nous est naturel et il ne peut donc être entièrement condamnable : il est même raisonnable d'envisager que nous en apprenions quelque chose.

ARISTOTE (384-322 AV. J.-C.)

« LE MAÎTRE DE CEUX QUI SAVENT » : c'est ainsi que la tradition va longtemps appeler Aristote et c'est ainsi que Dante le désigne dans sa *Divine comédie*. L'expression montre l'extraordinaire influence qu'exercera sa pensée.

Né à Stagire, en Macédoine, Aristote vient très jeune à Athènes pour étudier à l'Académie de Platon. Il y restera vingt ans et ne quittera l'institution qu'à la mort de Platon, en 347 av. J.-C. Après avoir passé quelques années comme tuteur d'Alexandre le Grand, qu'il accompagna, dit-on, dans ses voyages, il revient à Athènes et y fonde une école, appelée le Lycée.

Son œuvre, immense, aborde un nombre extraordinairement varié de sujets. Elle ne nous est pas parvenue tout entière et ce que nous en possédons ne sont souvent que de simples notes de cours. Parmi les sujets qui y sont abordés figure la logique, discipline créée par Aristote et qui demeurera dans la forme qu'il lui aura donnée jusqu'au début du XXe siècle. Ses idées sur l'esthétique sont notamment développées dans un ouvrage appelé *Poétique* et on lui doit, entre autres, la règle des trois unités, soit celles de lieu, de temps et d'action, à laquelle tant de créateurs ont été et restent attachés. Au Ier siècle av. J.-C., l'un de ceux qui ont reconstitué les écrits d'Aristote, ayant trouvé des textes consacrés à des questions aussi singulières que générales, a choisi de les placer après ses écrits sur la physique. Or, en grec, « après » se dit *meta*. L'anecdote explique l'origine du mot « métaphysique », qui signifie littéralement « après la physique ».

Avec ces prémisses, Aristote s'est, entre autres, penché sur le théâtre, tout récemment sorti de son berceau méditerranéen. Plus particulièrement, il s'est beaucoup intéressé à la tragédie, un genre alors florissant en Grèce. La notion de catharsis, qu'il développe à cette occasion, reste l'une des grandes et profondes idées de la philosophie de l'art.

Le mot catharsis signifie littéralement « purgation » ou « purification », et cette étymologie est éclairante. Réfléchissant sur la tragédie, Aristote suggère en effet que, par la contemplation des drames qu'elle offre au spectateur, elle a sur ce dernier un bénéfique effet purgatif sur des émotions douloureuses et des pulsions malsaines. En réfléchissant à l'effet que produisent sur nous des œuvres d'art, depuis ce frisson ressenti devant un film d'horreur jusqu'à la vibrante émotion que procure un concerto romantique, on conviendra peut-être, comme beaucoup d'autres, que cette idée de catharsis cerne de manière plausible quelque chose d'important de l'expérience esthétique et de ses possibles bienfaits. On ne pourra en outre manquer d'y percevoir des intuitions que développera plus tard la psychanalyse quand elle se penchera à son tour sur l'art, notamment sur les effets qu'il est susceptible de produire, et sur la création artistique.

La Vierge, l'Enfant Jésus et sainte Anne,
Léonard de Vinci (1510), Musée du Louvre, Paris

FREUD, DE VINCI ET UN VAUTOUR

CE TABLEAU REPRÉSENTE la mère de Jésus sur les
genoux de sa propre mère, sainte Anne, tendant les

bras vers l'enfant Jésus, qui tient lui-même l'agneau pascal destiné au sacrifice. On remarquera le sourire de sainte Anne et le paysage d'arrière-plan, vaste et mystérieux. Ce tableau a été analysé par Freud dans *Un souvenir d'enfance de Léonard de Vinci* (1910). Il y fait notamment porter sa réflexion sur la création artistique et sur les rapports qu'elle entretient avec la biographie psychanalytique de l'artiste.

Dans ses carnets, Vinci raconte en effet un bien étrange souvenir d'enfance, qui donne d'ailleurs son titre à l'ouvrage de Freud. Le peintre dit se revoir au berceau, tandis qu'un vautour tourne autour de lui. L'oiseau descend ensuite et, avec sa queue, vient frapper sa bouche.

La riche symbolique de cette histoire (queue, phallus, fellation, tétée, homosexualité), on le devine, est aisément exploitée par Freud, qui montre ensuite la prégnance de ces divers thèmes dans l'œuvre de Vinci. C'est justement le cas avec ce tableau, puisque Freud a cru discerner la forme d'un vautour, inconsciemment dessiné par Vinci, dans le contour de la draperie bleue portée par la Vierge. Et vous, le voyez-vous ?

On voit en quel sens l'art et l'expérience qu'il procure peuvent avoir de la valeur pour les humains. Aristote n'a pas été le seul à le soutenir et le philosophe Hegel a lui aussi avancé des arguments en faveur de la même conclusion.

L'ESTHÉTIQUE DE HEGEL

G.W.F. HEGEL (1770-1831) est l'un de ces philosophes dont la lecture est réellement ardue. Cependant, même si ce qu'il propose est très, très abstrait, il faut avoir un aperçu de son idéalisme bien particulier, de son historicisme ainsi que de son idée de dialectique si on veut apprécier son important apport à l'esthétique.

En simplifiant beaucoup, on pourra suggérer que, pour aboutir à son système appelé Idéalisme absolu, Hegel radicalise deux positions de l'idéalisme transcendantal de Kant. Pour commencer, l'esprit ne fait pas que structurer le réel : selon Hegel, l'Esprit (on l'écrit alors avec une majuscule), qu'il nomme *Geist*, est le réel, et ce réel est en outre Dieu, ce qui fait de Hegel un idéaliste panthéiste. De plus, loin d'être statique, l'Esprit se déploie selon une sorte de schéma logique abstrait que nous pouvons dévoiler et reconstruire : c'est le sens de son historicisme.

En déployant cet historicisme, Hegel va consacrer des travaux qui décrivent ce dévoilement progressif de l'Esprit qui s'incarne, se manifeste et apparaît dans les institutions humaines, dans la conscience et, bien entendu, dans l'art.

Chaque fois, il s'agit pour Hegel de dresser le tableau des vérités partielles qui conduisent, à travers les contradictions surmontées, au déploiement intégral de l'Esprit, bref, à l'Absolu. « De l'Absolu, il faut dire qu'il est essentiellement résultat, c'est-à-dire qu'il est seulement à la fin ce qu'il est en vérité », écrit-il au début de sa *Phénoménologie de l'Esprit*, qui retrace justement les étapes de ce déploiement de l'Esprit dans l'itinéraire de la connaissance.

Hegel propose une philosophie systématique : « Le vrai est le tout. Mais le tout n'est que l'essence de ce qui s'accomplit par le déploiement. » Ainsi, la philosophie de Hegel ne vise-t-elle rien de moins que la saisie de la totalité de l'univers et des connaissances, et étudie à chaque fois son objet dans son développement et selon les règles de son développement. Ce déploiement s'accomplit en effet selon un parcours, un mouvement, que Hegel décrit par ce qui est sans doute, avec l'historicisme, son apport conceptuel le plus connu : la dialectique.

« Nous nommons dialectique le mouvement rationnel supérieur, à la faveur duquel ces termes en apparence séparés passent les uns dans les autres, spontanément, en vertu même de ce qu'ils sont, l'hypothèse de leur séparation se trouvant ainsi éliminée [2]. »

On peut diviser cette dialectique en trois moments. Le premier moment est la thèse voulant que la réalité soit posée en soi. Cette thèse recèle le deuxième moment de la dialectique, l'antithèse, qui est celui de la réalité se développant ici en son contraire. De la lutte des contraires qui oppose thèse et antithèse surgit la synthèse, le troisième moment de la dialectique, qui à la fois surmonte la contradiction et la dépasse. Ce qui en résulte peut être pensé comme un équilibre provisoire, une nouvelle thèse destinée elle aussi à être surmontée quand se manifesteront les contradictions qu'elle recèle.

Partant de là, l'art est envisagé par Hegel comme réalité sensible pourvue de signification et par quoi la vérité est rendue perceptible. Par leur pratique de l'art, les êtres humains ont ainsi humanisé le monde naturel, ils se le sont appropriés en se le rendant moins étranger et en y incarnant, par le déploiement de leur créativité, quelque chose de leur pensée – et donc de l'Esprit, dira Hegel. L'histoire de l'art représente une série progressivement hiérarchisée de moments de la conscience universelle à travers lesquels l'Esprit se reconnaît dans des formes extérieures à lui-même. L'art n'est cependant, dans la grande marche dialectique de l'Esprit, qu'un moment provisoire ; lui succèdent en effet la religion, dont l'idée de divinité, à terme, peut se passer de représentation sensible, puis, enfin, la philosophie, pensée pure où l'Esprit prend conscience de lui-même.

COMMENT HEGEL PRÉSENTE-T-IL CET ACCORD DU SENSIBLE ET DE L'INTELLIGIBLE ?

« LE SENSIBLE DOIT ÊTRE PRÉSENT dans l'œuvre artistique, mais avec cette restriction qu'il s'agit seulement de son aspect superficiel. L'esprit ne cherche en lui ni la matérialité concrète, ni les concepts universels purement idéaux. Ce qu'il veut, c'est la présence sensible, qui doit être débarrassée de l'échafaudage de sa matérialité. C'est pourquoi le sensible est élevé dans l'art à l'état de pure apparence, par opposition à la réalité immédiate des objets naturels. L'œuvre artistique tient ainsi le milieu entre le sensible immédiat et la pensée pure. Ce n'est pas encore de la pensée pure, mais en dépit de son caractère sensible, ce n'est plus une réalité purement matérielle, comme sont les pierres, les plantes et la vie organique. Le sensible dans l'œuvre artistique participe à l'idée, mais à la différence des idées de la pensée pure, cet élément idéal doit en même temps se manifester extérieurement comme une chose. Cette apparence du sensible s'offre à l'esprit à titre de forme, d'aspect et de sonorité à condition qu'il laisse les objets exister en toute liberté, sans cependant essayer de pénétrer leur essence intime, ce qui les empêcherait d'avoir pour lui une existence individuelle.

C'est pourquoi le sensible dans l'art ne concerne que ceux de nos sens qui sont intellectualisés, comme la vue et l'ouïe, à l'exclusion de l'odorat, du goût et du toucher. En effet, l'odorat, le goût et le toucher n'ont affaire qu'à des éléments matériels et à leurs qualités immédiatement sensibles : l'odorat à l'évaporation de particules matérielles dans l'air ; le goût à la dissolution de particules matérielles ; le toucher au froid, au chaud, au lisse, etc. Ces sens n'ont rien à faire avec des objets de l'art qui doivent se maintenir dans une réalité indépendante et ne pas se borner à offrir des relations sensibles. Ce que ces sens trouvent d'agréable n'est pas le beau que connaît l'art[3]. »

Hegel distingue trois types d'art ou, si l'on préfère, trois grands moments de l'histoire de l'art, qui sont autant de modalités de représentation de l'Idée et de types de relations entre le sensible et le spirituel. Ces types sont l'art symbolique, l'art classique et, finalement, l'art romantique. Dans le premier, le sensible l'emporte sur le spirituel, dans le deuxième, leur équilibre est établi et, dans le troisième, le spirituel l'emporte.

L'art est donc pour Hegel un moment intuitif de la compréhension de l'Esprit par lui-même. C'est aussi un moment achevé. Selon lui, l'art aurait en effet, à son époque, fini d'accomplir sa tâche historique et, dès lors, commencé à perdre à nos yeux sa vie et son potentiel de vérité. On aura deviné que l'histoire ultérieure de l'art, ou bien contredit cette vision hégélienne, ou alors contraint à revoir en profondeur ce que nous appelons aujourd'hui « art », en le considérant comme étant radicalement différent de ce qu'il a été jusqu'à nous ou, du moins, jusqu'à Hegel.

NIETZSCHE : L'ART ENTRE APOLLON ET DIONYSOS

LES PERSPECTIVES OUVERTES par Aristote et Hegel attribuent une certaine valeur (thérapeutique pour le premier et cognitive pour le deuxième) à l'art. La réflexion du dernier auteur que nous examinerons pointe elle aussi dans cette direction, mais selon une perspective distincte et originale.

Dans *La naissance de la tragédie*, paru en 1872, Nietzsche cherche à comprendre la tragédie, née en Grèce, comme synthèse de ce qu'il nomme l'apollinien et le dionysiaque. L'apollinien exprime l'ordre, la sérénité, le sens et la mesure, tandis que le dionysiaque exprime le délire, l'extase et la démesure. « C'est à leurs deux divinités de l'art, écrit Nietzsche, Apollon et Dionysos, que se rattache la connaissance que nous pouvons avoir, dans le monde grec, d'une formidable opposition, quant à l'origine et quant au but, entre l'art plastique, qui est celui de l'art apollinien, et l'art non plastique, qui est celui de Dionysos [4]. »

Cette synthèse correspond selon lui à un moment privilégié et à un sommet de la vie de l'esprit. On peut encore y lire cette joyeuse approbation de la vie, dans toute sa dureté et sa cruauté, qui caractérisait la Grèce ancienne et aristocratique. Par la tragédie et, plus généralement, par l'art, le principe dionysiaque nous est partiellement dévoilé. Également, dans le même temps, cette vie nous est rendue tolérable par le principe apollinien, qui est à l'œuvre dans l'illusion artistique. Selon Nietzsche, la culture où l'art fleurit de la sorte s'en trouve vivifiée : « La lutte, le tourment, la destruction des phénomènes nous paraissent à présent nécessaires [...]. En dépit de la terreur et de la pitié, nous goûtons le bonheur de vivre, non comme individus, mais comme participant à la substance vivante unique qui nous englobe tous dans sa volupté où naît la vie [5]. » Nietzsche déplore que Socrate et la philosophie aient rompu le subtil équilibre auquel le monde grec ancien était parvenu.

Il déplore aussi la victoire de la philosophie, qui signe la mort de la tragédie, qui est la négation de l'irrationnel, faisant ainsi de l'illusion apollinienne la seule réalité.

NIETZSCHE ET LA DÉCADENCE DE LA CULTURE EUROPÉENNE

APRÈS AVOIR ÉTUDIÉ la philologie classique, le très brillant Friedrich Nietzsche (1844-1900) est nommé, à 24 ans seulement, professeur en cette discipline à l'Université de Bâle. Il lit alors avec passion le philosophe Arthur Schopenhauer, et se lie avec le compositeur Richard Wagner. Son premier ouvrage, *La naissance de la tragédie* (1872), lui est d'ailleurs dédié.

Sa santé fragile le force bientôt à quitter l'enseignement. Il mène dès lors une vie solitaire et nomade durant laquelle il engage avec la culture de son temps un vaste débat critique. Ce débat remet en cause sa morale, sa science, sa politique, comme autant d'idéaux fondés sur le refus de la vie, qui permettent la victoire de la masse des faibles sur les forts, étouffant l'esprit aristocratique de ces derniers qui, rares sans doute, sont les seuls capables d'affirmation et de création. Nietzsche porte en définitive sur la culture européenne de son temps un jugement d'une grande dureté et d'une grande sévérité. Cette culture est nihiliste, assure-t-il, car elle se caractérise par une décadence qui ne cesse de s'accentuer. Contre ce déclin des valeurs qui annonce leur disparition et donc celle des repères que possédaient notre civilisation (en une formule célèbre, il en parlera métaphoriquement comme de « la mort de Dieu »), Nietzsche ambitionne de réaliser une « transvaluation de toutes les valeurs », notamment par les singulières doctrines qu'il élabore dans la dernière phase de sa vie philosophique. En 1889, à Turin, Nietzsche s'effondre en larmes devant un cheval battu par son cocher. Il ne retrouvera plus la raison.

Peu de philosophes ont accordé à l'art une part aussi centrale dans leur réflexion, mais aussi dans leur vie, puisque Nietzsche était poète, écrivain, compositeur et improvisait au piano avec beaucoup de talent.

On notera enfin que la sœur de Nietzsche propagera une interprétation abusive et falsificatrice de la pensée du philosophe et la mettra au service du national-socialisme.

Nietzsche ne désespérait pas qu'après l'ère chrétienne, qui a prolongé et accompli ce que Socrate avait commencé, le monde occidental puisse de nouveau redevenir celui de la sereine affirmation de la vie, dans la lucide contemplation de ce qu'elle peut avoir de terrifiant. Il ne désespérait pas, en somme, qu'une renaissance de la tragédie puisse survenir dans le futur.

On le voit, les débats philosophiques sur l'art et l'esthétique ne manquent pas et il est raisonnable de penser qu'ils féconderont encore longtemps la réflexion des philosophes.

DIX POINTS À RETENIR

1   L'esthétique est l'étude de l'art et de
la beauté, artistique ou naturelle. La
philosophie de l'art est sa composante
principale.

2   On a proposé de nombreuses définitions
de l'art ; il a été décrit comme imitation
(Platon), comme expression de
sentiments et d'émotions (Tolstoï), ou
comme ce qui résulte d'une procédure
légitime (définition institutionnelle ou
procédurale). Chacune de ces définitions
a ses mérites et ses limites.

3   En s'inspirant de Wittgenstein, certains
suggèrent que la recherche d'une essence
de l'art est vouée à l'échec : le mot
« art » fonctionne plutôt comme le mot
« jeu » et constitue une « famille ».

4   Hume analyse le jugement de goût et
suggère que celui-ci, quand il est formulé
en conformité avec cinq conditions,
exprime des propriétés d'objets qui
tendent, ou non, à plaire à notre
constitution.

5   Kant caractérise le beau et le jugement esthétique qui lui correspond par quatre formules. Le beau est l'objet d'un jugement de goût désintéressé ; il est ce qui plaît universellement sans concept ; il est la forme de la finalité d'un objet en tant qu'elle est perçue dans cet objet sans représentation d'une fin ; et il est ce qui est reconnu sans concept comme l'objet d'une satisfaction nécessaire.

6   Platon condamne sévèrement l'art comme une dangereuse illusion et réclame sa stricte réglementation par les institutions politiques.

7   Le concept de catharsis, proposé par Aristote dans le cadre de sa réflexion sur la tragédie, met en évidence les vertus « purgatives » de l'expérience esthétique. Aristote préfigure ici les réflexions ultérieures de Freud.

8   La pensée de Hegel, idéaliste et historiciste, accorde une valeur cognitive à l'art, qu'elle met en évidence avec le concept de dialectique.

9   Hegel annonce la fin de l'art :
    cette annonce est aussi spectaculaire
    que contestée.

10 Nietzsche espère un retour de la
    tragédie et plus généralement de l'art,
    qui revigorerait la culture, qu'il juge
    décadente.

QUESTIONNAIRES

QUESTIONNAIRE I
(répondez par vrai ou faux)

1. L'épistémologie est une branche récente
   de la philosophie.
2. John Locke est le fondateur de l'école
   empiriste anglaise.
3. Les antinomies qu'il met à jour illustrent selon
   Kant une irrésistible, mais illusoire tentative
   de la raison d'aller au-delà de ce qu'il est
   possible et légitime à la connaissance humaine
   d'accomplir.
4. La philosophie morale comprend l'éthique
   et la métaéthique.
5. Descartes, comme bien des gens avant lui
   et depuis, distingue deux substances dans le
   monde et il est donc un dualiste.
6. L'argument de la réalisabilité multiple est
   employé en philosophie de la religion.
7. Une preuve ontologique de l'existence de Dieu
   commence par constater l'ordre et la beauté de
   l'univers.
8. « Si un changement n'est pas nécessaire,
   alors il est nécessaire de ne pas changer. »
   Un conservateur acceptera volontiers cette
   maxime comme un bon résumé de ce qu'il
   pense.

9. Le minarchisme auquel aboutit Nozick
   affirme que l'État doit être préservé et
   renforcé.
10. Platon pense l'art comme imitation.

RÉPONSES : 1. Faux 2. Vrai 3. Vrai 4. Vrai 5. Vrai
6. Faux 7. Faux 8. Vrai 9. Faux 10. Vrai

_____

QUESTIONNAIRE 2

1. Pour douter des mathématiques et des
   connaissances *a priori* qu'elles procurent,
   Descartes imagine :
   a) un malin génie
   b) la preuve ontologique

2. Berkeley suggère que les thèses empiristes
   conduisent logiquement à admettre un
   percepteur universel, autrement dit :
   a) la somme des êtres humains
   b) Dieu

3. Kant introduit en épistémologie une double
   distinction entre, d'une part, des jugements
   a priori et a posteriori et, d'autre part, des
   jugements :
   a) certains et probables
   b) analytiques et synthétiques

4.   Comment nomme-t-on l'argumentaire
     de Platon contre la position métaéthique
     du commandement divin ?
a)   le dilemme d'Euthyphron
b)   l'anneau de Gygès

5.   Ils reculent devant une scène d'horreur,
     mais ne connaissent aucune des *qualia* dont
     le spectacle les accompagne lorsque nous
     les voyons. Ces étranges créatures nées de
     l'imaginaire des philosophes sont :
a)   des scarabées
b)   des zombies

6.   « Le chat est sur le tapis. » Combien cette
     proposition contient-elle d'occurrences
     (et non de types) de mots ?
a)   6
b)   5

7.   Au terme de cet argumentaire, on conclut
     qu'il est raisonnable de miser sur l'existence
     de Dieu. Il s'agit :
a)   du pari de Pascal
b)   de l'expérience religieuse

8.   Un socialisme anti-autoritariste et la
     revendication d'une liberté totale. Cela
     caractérise :
a)   le nationalisme
b)   l'anarchisme

9. Les deux concepts centraux de la réflexion politique de Machiavel dans *Le Prince* sont la virtù et :
a) la fortune
b) le pouvoir

10. La thèse de l'art comme expression a notamment été avancée par :
a) Wittgenstein
b) Tolstoï

RÉPONSES

1. A 2. B 3. B 4. A 5. B 6. A 7. A 8. B 9. A 10. B

QUESTIONNAIRE 3

1. De son examen d'un morceau de cire, Descartes conclut :
a) que toute connaissance vient de l'expérience
b) que la cire réagit inexplicablement aux variations de température
c) que nos concepts de substance et d'identité sont innés

2. Hume divise les perceptions de notre esprit en :
a) impressions et idées
b) impressions et désirs
c) idées et désirs

3. Kant distingue dans notre pouvoir de connaître la sensibilité, l'entendement et :
a) l'imagination
b) la créativité
c) la raison

4. La formule : « Le plus grand bonheur du plus grand nombre » résume la position éthique :
a) de Bentham
b) de Kant
c) d'Aristote

5. La psychologie devrait étudier les comportements qui sont observables, et non des concepts inobservables comme l'esprit ou la conscience. Tel est le cœur de la position :
a) moniste
b) béhavioriste
c) fonctionnaliste

6. « Il s'agit d'un mécanisme qui vous alerte dès qu'un début d'incendie menace. » Une telle définition est :
a) fonctionnelle
b) exacte
c) réductionniste

7. Trois conditions sont, selon William James, nécessaires pour effectuer ce « saut de la foi » et se donner ainsi le droit de croire : les options doivent être vivantes, choisir doit être obligatoire et... quelle est la troisième condition ?

a)   le choix doit être d'une grande importance
b)   choisir doit être un acte libre
c)   choisir doit être un acte réfléchi

8:   Si Léviathan est nécessaire, selon Hobbes,
     c'est que les êtres humains, dans l'état de
     nature :
a)   sont fondamentalement bons
b)   sont en guerre les uns contre les autres
c)   ne sont ni bons ni mauvais

9.   Les rapports juridiques et les formes de la
     conscience appartiennent, selon Marx :
a)   à l'infrastructure d'un mode de production
b)   à la superstructure d'un mode de production
c)   aux forces productives d'un mode de
     production

10. Inspirés par Wittgenstein, certains suggèrent
     de renoncer à la recherche d'une essence de
     l'art et avancent que ce mot fonctionne plutôt
     comme un autre, examiné par ce philosophe.
     Il s'agit du mot :
a)   langage
b)   beauté
c)   jeu

RÉPONSES
1. C 2. A 3. C 4. A 5. B 6. A 7. A 8. B 9. B 10. C

QUESTIONNAIRE 4

1. Descartes distinguera trois types d'idées : des idées innées, des idées adventices et des idées :
a) mathématiques
b) acquises
c) factices
d) prouvées

2. Hume distingue trois grands principes d'association des idées. Ce sont la ressemblance, la contiguïté ainsi que :
a) la réflexion
b) la causalité
c) l'imagination
d) la mémoire

3. Les idées centrales de la métaphysique dogmatique où s'égare la raison, selon Kant, sont :
a) Dieu, le péché et l'âme
b) Dieu et l'âme
c) Dieu, l'âme et le monde dans sa totalité
d) Dieu, l'âme, le péché et le monde dans sa totalité

4. « Si je veux passer ce cours, alors je dois étudier. » Selon Kant, il s'agit d'un exemple :
a) de raisonnement conditionnel

b) de vœu raisonnable
c) d'impératif catégorique
d) d'impératif hypothétique

5. À la fin de sa visite de la vieille capitale, le touriste, à qui l'on a montré tout ce qu'il y avait à voir, demande : « Mais où est la ville de Québec ? » Selon Ryle, il commet alors :
a) une confusion
b) une erreur dans l'application de la Loi de Leibniz
c) une erreur de catégorie
d) une erreur d'attribution

6. Nous savons désormais que l'eau est un composé chimique particulier. De la même manière, nous saurons un jour que les états mentaux sont des processus physicochimiques particuliers. Cette position est à la base des idées :
a) des béhavioristes
b) des fonctionnalistes
c) des théoriciens de l'identité
d) des mystériens

7. Les arguments aujourd'hui invoqués par les adeptes du dessein intelligent constituent des prolongements contemporains des :
a) arguments cosmologiques
b) arguments par les miracles
c) arguments téléologiques
d) arguments ontologiques

8. La clé par laquelle Rousseau pense pouvoir résoudre en théorie le problème qu'il pose de trouver une forme d'association qui nous rende à la fois libre et soumis à des lois est :
a) l'état de nature
b) l'éducation
c) la volonté générale
d) la somme des volontés individuelles

9. Par le concept d'idéologie, Marx désigne :
a) les modes de penser les plus justes d'une époque donnée
b) le reflet et le masque de l'infrastructure d'un mode de production
c) des idées courantes, mais douteuses
d) l'état de nature

10. « Le beau est l'objet d'un jugement de goût désintéressé » est une formule :
a) de Kant
b) de Hume
c) de Platon
d) de Nietzsche

RÉPONSES
1. C 2. B 3. C 4. D 5. C 6. C 7. C 8. C 9. B 10. A

QUESTIONNAIRE 5

1. La définition tripartite de la connaissance
   que propose Platon la définit comme opinion
   (ou croyance) vraie :
a) crédible
b) probable
c) assurée
d) justifiée
e) intéressante

2. Quand il analyse la catégorie de causalité,
   Hume y découvre :
a) celle de priorité
b) celles de priorité et de connexion nécessaire
c) celle de connexion nécessaire
d) celles de priorité, de connexion nécessaire
   et de contiguïté
e) celles de contiguïté et de connexion nécessaire

3. L'expression « révolution copernicienne »
   employée par Kant signifie :
a) que l'être humain pense être au centre
   du monde
b) que Copernic a renouvelé l'épistémologie
c) que ce sont les objets de la connaissance
   qui se règlent sur notre capacité de connaître
   et non l'inverse
d) que c'est notre capacité de connaître
   qui se règle sur les objets de la connaissance
   et non l'inverse

e)   que les objets de la connaissance
n'ont qu'un rôle minime à jouer dans
la connaissance scientifique

4.   Pour aider à déterminer les vertus et à les
pratiquer, Aristote suggère qu'il faut viser :
a)   le plus grand bonheur possible du plus
grand nombre
b)   ce qui est rationnel
c)   ce qui peut être universalisé
d)   le moyen terme entre excès et manque
e)   l'acte le plus courageux

5.   La psychologie devrait, par introspection,
étudier l'intériorité de la conscience.
Ce programme est celui :
a)   des béhavioristes
b)   des monistes
c)   de la psychologie expérimentale
d)   de la psychologie introspective
e)   des matérialistes

6.   Une machine dont un questionneur humain
ne pourrait distinguer les réponses de celles
d'un autre être humain :
a)   serait une machine de Turing parfaite
b)   passerait le test de Turing
c)   prouverait que John Searle a raison dans
le débat qui l'oppose à certains théoriciens
de l'intelligence artificielle

d) permettrait de donner raison aux théoriciens de l'identité
e) existe déjà

7. William James dit de l'expérience religieuse qu'elle est vécue comme donnant accès à des vérités universelles et importantes. L'expérience religieuse est donc :
a) ineffable
b) passive
c) éphémère
d) noétique
e) vibrante

8. L'idée de contrat social comme renoncement par chacun à sa liberté naturelle au profit d'un tiers assez puissant pour maintenir l'ordre et garantir la sécurité de tous est au cœur de la réflexion de :
a) Locke
b) Rousseau
c) Hobbes
d) Kant
e) aucune de ces réponses

9. Où se trouvent les « partis » qu'imagine Rawls ?
a) dans l'État
b) dans l'état de culture
c) dans la société civile
d) derrière le voile d'ignorance
e) dans l'état de nature

10. Hume pose certaines conditions à l'exercice du jugement de goût. Parmi elles, on ne trouve pas :
a) la délicatesse du goût
b) la pratique
c) la comparaison
d) la mise en abyme
e) l'absence de préjugé

RÉPONSES
1. D 2. D 3. C 4. D 5. D 6. B 7. D 8. C 9. D 10. D

QUESTIONNAIRE 6

1. Pour présenter métaphoriquement sa métaphysique et sa théorie de la connaissance, Platon raconte une célèbre histoire. Comment se nomme-t-elle ?
2. On résume souvent la position de Berkeley par la formule : *Esse est percipi*. Comment la traduit-on en français ?
3. Comment, selon Peirce, se découvre ce que signifie un concept ?
4. L'ouvrage de Peter Singer, *Animal Liberation* (1975), demande que l'on prenne en compte la capacité de souffrir des animaux dans nos actes et décisions les concernant. En cela, à quelle école éthique se révèle-t-il appartenir ?

5. Si A et B sont en tout point indiscernables, alors A est B. Comment s'appelle ce principe invoqué par les partisans du dualisme ?

6. Quel est le nom de la célèbre expérience de pensée imaginée par John Searle contre certaines des pretentions les plus extrêmes en intelligence artificielle ?

7. Les incroyants invoquent souvent la souffrance qui existe dans le monde comme une bonne raison de ne pas croire en Dieu. Comment appelle-t-on traditionnellement le problème qu'ils soulèvent alors ?

8. Qui défend un contrat social qui protège et maintient les droits naturels des individus ?

9. Quel est le nom de la prison imaginée par Bentham et qui sert chez Foucault de métaphore à la société de surveillance qu'il analyse ?

10. Ce philosophe est célèbre pour sa condamnation de l'art et pour réclamer sa sévère régulation. De qui s'agit-il ?

RÉPONSES

1. L'Allégorie (ou le mythe) de la caverne.
2. Être, c'est être perçu.
3. Par ses effets pratiques, par ses conséquences dans l'action.
4. L'utilitarisme.
5. Le principe de l'identité des indiscernables (de Leibniz).
6. La chambre chinoise.
7. Le problème du mal.

8. Locke.
9. Le Panopticon.
10. Platon.

QUESTIONNAIRE 7

1. La formule de Protagoras « L'homme est la mesure de toute chose » est un habile condensé de quelle position épistémologique combattue par Platon ?

2. La fourche de Hume distingue, d'une part, entre propositions qui expriment des relations entre des idées et, d'autre part, propositions qui expriment des relations avec autre chose. De quoi s'agit-il ?

3. Kant a proposé de ramener le problème qu'il soulève en épistémologie à une seule question relative à la possibilité d'un certain type de jugement. Quelle est cette question ?

4. « Agis selon la maxime qui peut en même temps se transformer en loi universelle. » Ceci est une formulation d'une importante notion de Kant en éthique. Quelle est cette notion ?

5. On distingue le béhaviorisme des philosophes de celui des psychologues en donnant un qualificatif particulier au second. Lequel ?

6. Ils suggèrent que certaines questions en philosophie de l'esprit resteront sans réponse en raison de limitations de nos capacités cognitives. Qui sont-ils ?

7. Ayant supprimé le savoir pour faire une place
    à la foi, il pose Dieu comme exigence morale.
    De qui s'agit-il ?

8. Cette idéologie politique peut prendre
    des formes ethniques et fermées, mais aussi
    des formes plus ouvertes et libérales.
    De quel courant s'agit-il ?

9. Selon la théorie de l'habilitation de Nozick,
    à quelles conditions une personne peut-elle
    prétendre avoir un droit sur un bien ?

10. Par quel mot Aristote expliquait-il l'effet
    de la tragédie sur nous ?

RÉPONSES

1. Le relativisme.
2. De faits.
3. Comment des jugements synthétiques
    a priori sont-ils possibles ?
4. L'impératif catégorique.
5. Logique ou analytique.
6. Les mystériens.
7. De Kant.
8. Le nationalisme.
9. Acquisition initiale juste et échanges
    subséquents de propriétaires également justes.
10. Catharsis.

QUESTIONNAIRE 8

1. Comment des rationalistes comme Descartes et des scientifiques comme Galilée appellent-ils ce qui est produit en nous par l'interaction de nos sens avec les objets du monde extérieur ?

2. Comment, selon Hume, en vient-on à avoir l'idée de causalité si nous n'observons jamais de connexion nécessaire ?

3. Kant défend l'idée que ce que nous recevons de l'intuition sensible est structuré par l'entendement qui lui impose ce qu'il appelle...

4. Autour du cas imaginaire d'un individu pourchassé qui vous demanderait asile se sont cristallisées certaines des objections faites à l'éthique de Kant. Qui sont ces poursuivants et que veulent-ils à cet individu ?

5. Aimer le chocolat, selon les philosophes béhavioristes, cela veut dire se comporter de telle ou telle manière en présence de chocolat. Mais, s'il n'y a pas de chocolat, qu'est-ce que cela veut dire ?

6. Cette position peut être comprise comme préservant les avantages du béhaviorisme et ceux de la théorie de l'identité, mais sans leurs défauts. Quelle est-elle ?

7. Contre ce type de preuve de l'existence de Dieu, on argue que la cause originelle pourrait bien être un démon ou le Big Bang. De quel type de preuve s'agit-il ?

8. Cette idéologie politique est d'abord
    apparue en réaction aux excès du capitalisme
    durant la Révolution industrielle.
    Comment se nomme-t-elle ?

9. Comment appelle-t-on le principe premier
    de la théorie de la justice comme équité
    de Rawls ?

10. « Une œuvre d'art est un artefact auquel on a
    conféré le statut d'objet méritant d'être soumis
    à l'appréciation dans le monde de l'art. »
    Quelle proposition de définition de l'art
    cette formule résume-t-elle fort bien ?

RÉPONSES

1. Des qualités secondes.
2. Par habitude.
3. Des catégories.
4. Ce sont des assassins et ils veulent le tuer.
5. Être disposé à se comporter de telle
    ou telle manière.
6. Le fonctionnalisme.
7. La prevue cosmologique.
8. Le socialisme.
9. Le principe de liberté-égalité.
10. La définition institutionnelle
    (ou procédurale) de l'art.

QUESTIONNAIRE 9

1. Par son important travail en linguistique,
   cet auteur contemporain prolonge la réflexion
   des rationalistes classiques et ravive les thèses
   de l'innéisme platonicien. Qui est-il ?
2. Comment Locke suggère-t-il que nous en
   venions à avoir des idées générales ?
3. Comment Kant appelle-t-il une analyse
   qui doit nous indiquer les conditions de
   possibilité de quelque chose, par exemple
   de la connaissance ?
4. Il existe selon Aristote des vertus morales
   et une autre catégorie de vertus. Comment
   nomme-t-il ces autres vertus ?
5. Quelle est la première école influente à avoir,
   au XXᵉ siècle, proposé une approche moniste
   et non dualiste en philosophie de l'esprit ?
6. Elles sont nées au milieu des années
   cinquante, regroupent de nombreuses
   disciplines et étudient la cognition humaine.
   Que sont-elles ?
7. Il existe de la souffrance dans le monde ; Dieu
   existe et il est infiniment bon, omniscient
   et tout-puissant. Comment appelle-t-on
   les efforts cherchant à concilier ces deux
   propositions apparemment contradictoires ?
8. Isaiah Berlin éclaire certaines questions
   de philosophie politique à partir d'une
   distinction qu'il propose entre deux types
   de liberté. Nommez-les.

9. Ces philosophes ont insisté sur l'importance
de tenir compte, en philosophie politique
et par la suite dans les politiques publiques,
de l'appartenance des individus à des groupes,
à des communautés et à des traditions.
Qui sont-ils ?

10. Il pense que l'art a achevé sa tâche historique.
De qui s'agit-il ?

RÉPONSES

1. Noam Chomsky.
2. Par abstraction.
3. Transcendantale.
4. Des vertus intellectuelles.
5. Le béhaviorisme.
6. Les sciences cognitives.
7. Des théodicées.
8. La liberté positive et la liberté négative.
9. Les communautaristes (ou communautariens).
10. De Hegel.

QUESTIONNAIRE 10

1. Selon Platon, quel est l'objet de la connaissance véritable ?

2. Si Platon est réaliste et Locke conceptualiste, comment nommer la position défendue par Berkeley sur la question des universaux ?

3. Selon Kant les propositions de l'arithmétique et de la géométrie sont synthétiques *a priori* et elles sont la traduction des formes *a priori* de la sensibilité. Que sont ces formes ?

4. Pour permettre à l'utilitarisme de survivre aux sévères critiques adressées à l'utilitarisme de l'acte, bien des utilitaristes redéfinissent leur position. Comment se nomme-t-elle alors ?

5. Bon nombre des problèmes du dualisme en philosophie de l'esprit tournent autour de la question de savoir comment une substance pourrait agir sur l'autre. Comment s'appelle ce problème ?

6. Qu'ignorait Mary, la jeune femme de la célèbre experience de pensée imaginée par Franck Jackson ?

7. Quel philosophe a construit un célèbre argumentaire contre les miracles ?

8. Elle se décline en position politique et position économique et elle est l'idéologie dominante au sein des sociétés occidentales. Quelle est cette idéologie politique ?

9. La contestation de la distinction entre
sphere publique et sphère privée est au cœur
de la réflexion au sein de ce courant de pensée
politique. Nommez-le.

10. Il utilise Apollon et Dionysos dans
sa réflexion sur l'art. De qui s'agit-il ?

RÉPONSES

1. Les Idées.
2. Le nominalisme.
3. L'espace et le temps.
4. L'utilitarisme de la règle.
5. Le problème de l'interaction.
6. Ce que cela fait de percevoir des couleurs.
7. David Hume.
8. Le libéralisme.
9. Le féminisme.
10. De Nietzsche.

NOTES

CHAPITRE 1

Ces œuvres étant facilement accessibles, je me contenterai pour les citer d'indiquer la section concernée.

1   R. Descartes, *Méditations métaphysiques, 1.*

2   *Ibid.*

3   *Ibid.*

4   *Ibid.*

5   *Ibid.*

6   H. Putnam, « Brains in a Vat », dans *Reason, Truth and History*, Cambridge University Press, p. 5-6 (trad. N. Baillargeon).

7   Galilée, *L'essayeur*, Paris, Les Belles Lettres, p. 239 (trad. C. Chauviré).

CHAPITRE 2

1   J. Locke, *An Essay Concerning Human Understanding*, Livre III, chapitre III, p. 6 (trad. N. Baillargeon).

2   *Ibid.*

3   J. Locke, *Essai sur l'entendement humain*, Livre II, chap. XI, 9, Paris, Vrin, Bibliothèque des Textes philosophiques, p. 460 (trad. J.-M. Vienne).

4   *Ibid.*, chap. XXIII, 2

5   G. Berkeley, *Trois dialogues entre Hylas et Philonous*, III, Paris, Aubier-Montaigne, p. 183.

6   *Ibid.*

7   G. Berkeley, *Principes de la connaissance humaine*, I, Paris, Armand Colin, p. 22-23 (trad. Ch. Renouvier).

8   D. Hume, *Enquête sur l'entendement humain*, section 2, consulté sur Internet à [http://classiques.uqac.ca/classiques/Hume_david/enquete_entendement_humain/enquete_entendement_hum.html](trad. Ph. Folliot).

9   D. Hume, *Traité de la nature humaine*, Livre I, partie IV, section VII (trad. N. Baillargeon).

CHAPITRE 3

1   E. Kant, « Préface », *Prolégomènes à toute métaphysique futur qui pourra se présenter comme science*, Vrin, Paris, 1965, p. 13.

2   E. Kant, « Introduction », *Critique de la raison pure*, 2ᵉ édition, 1787.

3   E. Kant, « Préface », *Critique de la raison pure*, 2ᵉ édition, 1787.

4   C. S. Peirce, *How to Make Our Ideas Clear*, 1878. p. 271.

CHAPITRE 4

1   Exode 35 : 2.

2   D. Hume, *Traité de la nature humaine*, L. III, section 1 (trad. N. Baillargeon).

3   Aristote, *Éthique à Nicomaque*, L. II, chapitre 1.

CHAPITRE 5

1   Descartes en distinguera un troisième, Dieu. Mais nous pouvons sans mal ne pas en tenir compte ici.

2   R. Descartes, *Méditations*, II.

3   Lettre de la princesse Elisabeth à Descartes, 16 mai 1643.

4   L. Wittgenstein, *Investigations philosophiques*, p. 293.

CHAPITRE 6

1   J. J. C. Smart, « *Sensations and Brain Processes* », *The Philosophical Review*, vol. 68. nº 2, avril 1959, p. 140 (trad. N. Baillargeon).

2   G. A., Miller, « *The Cognitive Revolution : A Historical Perspective* », *Trends in Cognitive Sciences*, 7 : 3, p. 143 (trad. N. Baillargeon).

3   A. Turing, « *Computing Machinery and Intelligence Mind* », 59 (236), 1950, p. 433-460 (trad. N. Baillargeon).

4   J. Searle, « *Minds, Brains, and Programs* », *Behavioral and Brain Sciences*, 3, 1981, p. 417-457.

5   T. Nagel, « *What Is It Like to Be a Bat ?* », *The Philosophical Review*, vol. 84, nº 4, p. 439 (trad. N. Baillargeon).

6   F. Jackson, « *What Mary Didn't Know* », *Journal of Philosophy,* 83, 1986, p. 291-295.

CHAPITRE 7

1 D'autres caractéristiques sont ajoutées par certains philosophes et théologiens, comme l'éternité ou l'omniprésence, qui signifie que Dieu est présent partout et de tout temps. Mais ce dernier attribut divin, s'il est admis, rend en un sens Dieu immanent au monde, ce qui doit être, lourde tâche, concilié avec la transcendance divine postulée par le théisme. Pour cette raison, l'omniprésence divine n'est généralement pas énumérée parmi les attributs de Dieu au sein des grandes traditions monothéistes. Quoi qu'il en soit, c'est sans mal pour la suite de notre réflexion que nous pouvons faire ici l'économie de toutes ces questions.

2 Ce texte est accessible sur Internet à http://www. infidels. org/library/modern/michael_martin/fernandes-martin/ martin1.html (trad. N. Baillargeon).

3 B. Pascal, *Les pensées*.

4 D. Hume, *Enquête sur l'entendement humain*, section X : Des miracles.

5 K. Marx, *Contribution à la critique de la philosophie du droit de Hegel*, Paris, Éditions Allia, 1998, p. 8.

CHAPITRE 8

1 T. Hobbes, *Léviathan*, première partie, chapitre XXI : « De la liberté des sujets », Consulté à http://pagesperso-orange.fr/philotra/leviat2.htm (trad. P. Folliot).

2 Montesquieu, *De l'esprit des lois*, Livre XI, chapitre IV : « Continuation du même sujet ».

3 A. Smith, *Recherches sur la nature et les causes de la richesse des nations*, Livre IV, chapitre II.

4 G. K. Chesterton, *Orthodoxy*, chapitre 4 : « The Ethics of Elfland ».

5 Épître de Paul aux Romains, XIII, 1-2.

6 T. Hobbes, *Leviathan*, Livre I, chapitre 13, « De la condition naturelle des hommes en ce qui concerne leur félicité et leur misère » consultée sur Internet à http ://pagesperso-orange. fr/ philotra/hob13.htm (trad. P. Folliot).

7 T. Hobbes, *Léviathan*, Introduction. (trad. P. Folliot).

8 J. Locke, *Traité du gouvernement civil*, chapitre V, p. 27 (trad. D. Mazel).

9 *Ibid*.

10 *Ibid.*, chapitre I.

11 *Ibid.*, chapitre V, p. 47.

12 J.-J. Rousseau, *Discours sur l'origine et les fondements de l'inégalité parmi les hommes*. Ces mots ouvrent la seconde partie de ce livre.

13 J.-J. Rousseau, *Du contrat social*, Livre I, chapitre VI

14 *Ibid.*

15 *Ibid.*, Livre III, chapitre IV.

16 *Ibid.*, Livre I, chapitre VII.

17 *Discours à la Convention*, 5 février 1794.

CHAPITRE 9

1 K. Marx, « Préface », *Critique de l'économie politique*.

2 N. Machiavel, *Le Prince*, chapitre 7.

3 M. C. Bartholy et J.-P. Despins, *Le passé humain. Histoire*, Paris, Éditions Magnard, 1986, p. 134.

4 M. Foucault, *Surveiller et punir*, Paris, Gallimard, p. 202.

5 J. Rawls, *Théorie de la justice*, Paris, Seuil, 1987.

6 *Ibid.*, p.37.

7 R. Nozick, *Anarchie, État et utopie*, Paris, PUF, p. 190.

8 *Ibid.*

CHAPITRE 10

1 E. Kant, *Critique de la faculté de juger*, p. 48.

2 G. W. F. Hegel, *Science de la logique*, t. 1, Paris, Aubier, 1947, p. 99.

3 G. W. F. Hegel, *Esthétique* (1818-1829), textes choisis par C. Khodoss, Paris, PUF, p. 17-18.

4 *La naissance de la tragédie*, p. 1.

5 *Ibid.*, p. 17.

TABLE

Introduction à la philosophie tome 1
composé en Garamond Premier Pro corps 11 points
a été imprimé sur les presses de l'imprimerie Gauvin,
à Gatineau,
au mois de février deux mille dix-sept

Un papier contenant 100 % de fibres
postconsommation a été utilisé pour
les pages intérieures

Imprimé au Québec (Canada)